La
visualisation

Catalogage avant publication de Bibliothèque
et Archives nationales du Québec et Bibliothèque
et Archives Canada

Schwartz, Terry
    La visualisation
    (Collection Croissance personnelle)
    Publ. à l'origine dans la coll.: Collection Psycho-
logie. c2003.
    ISBN 978-2-7640-1584-1
    1. Visualisation. 2. Réalisation de soi. 3. Bonheur.
4. Succès – Aspect psychologique. I. Titre. II. Collection:
Collection Croissance personnelle.

BF367.S38 2010   153.3'2   C2009-942676-5

Dépôt légal: 2010
Bibliothèque et Archives nationales du Québec

Pour en savoir davantage sur nos publications,
visitez notre site: www.quebecoreditions.com

Éditeur: Jacques Simard
Conception de la couverture: Bernard Langlois
Illustration de la couverture: Istock

Imprimé au Canada

Gouvernement du Québec – Programme de crédit d'impôt pour l'édition
de livres – Gestion SODEC.

L'Éditeur bénéficie du soutien de la Société de développement des entre-
prises culturelles du Québec pour son programme d'édition.

Nous reconnaissons l'aide financière du gouvernement du Canada par
l'entremise du Programme d'aide au développement de l'industrie de
l'édition (PADIÉ) pour nos activités d'édition.

DISTRIBUTEURS EXCLUSIFS:

• Pour le Canada et les États-Unis:
MESSAGERIES ADP*
2315, rue de la Province
Longueuil, Québec J4G 1G4
Tél.: (450) 640-1237
Télécopieur: (450) 674-6237
* une division du Groupe Sogides inc.,
filiale du Groupe Livre Quebecor Média inc.

• Pour la France et les autres pays:
INTERFORUM editis
Immeuble Paryseine, 3, Allée de la Seine
94854 Ivry CEDEX
Tél.: 33 (0) 4 49 59 11 56/91
Télécopieur: 33 (0) 1 49 59 11 33

Service commande France
Métropolitaine
Tél.: 33 (0) 2 38 32 71 00
Télécopieur: 33 (0) 2 38 32 71 28
Internet: www.interforum.fr

Service commandes Export –
DOM-TOM
Télécopieur: 33 (0) 2 38 32 78 86
Internet: www.interforum.fr
Courriel: cdes-export@interforum.fr

• Pour la Suisse:
INTERFORUM editis SUISSE
Case postale 69 – CH 1701 Fribourg –
Suisse
Tél.: 41 (0) 26 460 80 60
Télécopieur: 41 (0) 26 460 80 68
Internet: www.interforumsuisse.ch
Courriel: office@interforumsuisse.ch

Distributeur: OLF S.A.
ZI. 3, Corminboeuf
Case postale 1061 – CH 1701 Fribourg –
Suisse

Commandes: Tél.: 41 (0) 26 467 53 33
Télécopieur: 41 (0) 26 467 54 66
Internet: www.olf.ch
Courriel: information@olf.ch

• Pour la Belgique et le Luxembourg:
INTERFORUM BENELUX S.A.
Fond Jean-Pâques, 6
B-1348 Louvain-La-Neuve
Tél.: 00 32 10 42 03 20
Télécopieur: 00 32 10 41 20 24

Terry Schwartz

La visualisation

Pour transformer votre vie

3e édition

LES ÉDITIONS
Quebecor
Une compagnie de Quebecor Media

Une invitation au bonheur et à l'épanouissement

Voici un guide vers le mieux-être, le contentement et la réussite. Si vous croyez que le temps est venu de modifier votre système de croyances pour faire place au bonheur et au succès dans votre vie, ce livre est pour vous.

Il vous suffira de prendre quelques minutes chaque jour pour exercer votre imagination et votre sens de l'observation de manière à laisser se dessiner ce qu'il vous plairait de vivre. Souhaitez-vous vous débarrasser de mauvaises habitudes ? Imaginez-en de bonnes. Voulez-vous créer des liens intéressants avec certaines personnes ? Imaginez que la chose est possible.

Aimeriez-vous que votre vie soit plus simple? Visualisez-la ainsi. Prenez simplement l'habitude de vous imaginer dans une situation souhaitée une ou deux fois par jour et votre réalité s'en trouvera rapidement transformée.

La visualisation est un outil merveilleux et efficace. Vous le découvrirez à la lecture de ce livre.

Bonne lecture et heureuses visualisations!

Chapitre 1

Qu'est-ce que la visualisation créative?

Visualiser est une activité naturelle. Tous les jours, toute la journée, et même la nuit en rêve, nous voyons intérieurement des images nous donnant l'occasion de revoir le passé, de comprendre le présent ou d'imaginer et d'orienter notre futur. Nous « visualisons » sans nous en rendre compte la plupart du temps et sans maîtriser nos scénarios.

Pourtant, il est possible de transformer cette activité naturelle de manière que notre vie aille dans le sens désiré et nous mène vers une réalité qui nous convient vraiment. Nous pouvons donner une direction à nos impressions sensorielles et mentales afin d'avoir une meilleure prise sur notre existence et de modifier notre réalité. La pratique de la visualisation créative consiste en fait à construire des scénarios de ce que l'on souhaite réaliser. Il s'agit d'apprendre à diriger nos rêveries quotidiennes à la manière d'un film afin qu'elles nous soient utiles et qu'elles nous donnent l'occasion de réaliser nos objectifs.

Combien de fois blâmons-nous les autres pour nos échecs, alors que le problème provient, en réalité, des doutes que nous entretenons au sujet de notre capacité de maîtriser notre destin ! Ce qu'il nous faut garder à l'esprit, c'est que nous construisons notre vie et que ce ne sont ni les autres ni nos préjugés négatifs qui devraient avoir le dernier mot en ce qui nous concerne. Notre responsabilité est d'aller vers le bonheur, et ce bonheur, nous sommes seuls à pouvoir le définir.

Prenez un moment et réfléchissez. Avez-vous confiance en vous ? Acceptez-vous d'être un gagnant ? Œuvrez-vous pour votre bonheur ? Malgré leur apparence, ce ne sont pas des questions auxquelles il est simple de répondre ; toutefois, le fait de prendre conscience de vos penchants vous aidera certainement à modifier les situations que vous voulez transformer. La visualisation créative est un moyen à la fois simple et extraordinaire de donner un sens positif à sa vie.

Comprendre et modifier son système de croyances

Nous avons tous des croyances et des préjugés sur nous-mêmes que nous traînons depuis l'enfance et qui n'ont plus (s'ils ne l'ont jamais eu) leur raison d'être : *Je dois accomplir ceci pour faire plaisir à un tel... Je dois gagner l'amour de l'autre... Il faut souffrir pour être belle... Pas de victoire sans souffrance... Je suis égoïste si je prends du temps pour moi... Je suis trop lent... pas intelligent... trop gros... trop grand ou trop petit... Il n'est pas féminin d'être meilleure qu'un homme...*

Ce type de croyances a plus d'influence sur notre comportement que nous voulons bien le croire. Et la pratique de la visualisation créative est l'outil idéal pour se débarrasser, une fois pour toutes, d'une tendance à se dévaloriser ou à croire que les autres comptent davantage que soi et que l'on doit calquer notre existence sur leurs opinions (voir l'annexe 1, « Les croyances limitatives », à la page 131).

Quel que soit notre système de croyances, nous devons savoir que ce système a été appris et qu'il peut donc – s'il ne nous convient plus – être désappris. Rien ne nous force à persister dans l'erreur. Personne n'est obligé d'avoir une piètre opinion de lui-même. Ce qui vous fait mal ou ce qui vous fait croire que vous n'êtes pas à la hauteur de vos désirs, pourquoi ne pas vous en défaire? Pourquoi ne pas remplacer ces croyances invalidantes par des convictions positives?

Pour quelles raisons la visualisation créative fonctionne-t-elle?

La visualisation créative donne des résultats étonnants, bien sûr, mais à condition d'être utilisée de manière réaliste et concomitante à d'autres actions. Si vous comptez acheter une maison, mais que vous ne faites rien pour réaliser ce souhait (économies, recherche) sauf de rêver, il est probable qu'il faudra plus de temps pour que cet achat se matérialise... Cela dit, la visualisation créative permet d'ouvrir son esprit à une possible réalité, et c'est la base de toute réalisation.

À ce sujet, les auteurs Mike et Nancy Samuels écrivaient ce qui suit: «Un psychologue dirait que de fixer une idée dans son esprit fait en sorte que l'inconscient est continuellement en alerte devant les situations qui mènent au but. Une personne religieuse dirait que Dieu a entendu sa prière. Un mystique dirait que l'énergie dégagée par la visualisation modifie le monde environnant.» Et tous les trois auraient en quelque sorte raison: il est nécessaire de créer mentalement un fait avant de le réaliser. L'esprit précède le fait.

Réussir

C'est en sport que la visualisation créative a fait ses preuves et qu'elle est surtout utilisée. Gagner une compétition, atteindre leur but, voilà ce que veulent les athlètes d'élite. Mais qu'ont-ils en commun, ces athlètes? Ils ont confiance en leurs capacités et en eux-mêmes; ils ont une bonne concentration; ils analysent leurs erreurs pour les oublier ensuite et se rappeler leurs succès. Ils conservent une image positive d'eux-mêmes et, surtout, ils pratiquent la visualisation quelques semaines avant les compétitions comme pendant celles-ci.

Cela dit, même si les athlètes analysent leurs erreurs, un des principaux aspects de leur entraînement mental (et donc de la pratique de la visualisation) consiste à se concentrer sur les aspects positifs de leurs réalisations et sur leurs habiletés, autrement dit, à se tourner essentiellement vers ce qui va bien.

Mais en quoi consiste exactement l'entraînement mental des sportifs et de quelle manière pouvons-nous nous en inspirer? L'encadré suivant énumère quelques trucs simples à retenir.

L'entraînement mental, pour les sportifs et pour nous	
Les sportifs	Nous
... déterminent des objectifs à moyen et à long termes ;	... précisons le but que nous souhaitons atteindre et fixons des dates (un mois, six mois, etc.) en conséquence ;
... modifient les pensées négatives en perceptions positives ;	... mettons fin à nos scénarios d'échec et les remplaçons par des scénarios positifs ou réalistes ;
... choisissent et se répètent des affirmations positives allant dans le sens d'une performance maximale ;	... choisissons des affirmations simples et positives (voir l'annexe 3, à la page 137) que nous répétons régulièrement ;
... pratiquent la relaxation et font des exercices de concentration ;	... prenons le temps d'apprendre une forme de relaxation ou de méditation et de la pratiquer régulièrement ;
... visualisent leurs performances.	... visualisons ce que nous désirons.

Les deux types de visualisation

Il existe principalement deux formes de visualisation.

La première forme, appelée visualisation libre, consiste à écouter ce qui se passe intérieurement sans avoir d'*a priori*, d'idée claire ou de but précis. Vous pouvez, par exemple, fermer les yeux, respirer en profondeur, vous détendre et... peu à peu, commencer à percevoir les images qui vous viennent à l'esprit. Vous pouvez faire le même exercice en vous posant d'abord une question, pour ensuite analyser les images qui surviennent sans tenter de les contrôler.

Cette forme de visualisation créative est dégagée de toute volonté ; elle est un moment que l'on prend pour s'écouter, pour entendre ce qu'il y a dans son âme. Elle est utile quand on veut découvrir ses résistances, comprendre des sentiments contradictoires, voir plus clair à propos de ce qui compte réellement à nos yeux. La visualisation libre nous renseigne sur l'authenticité de nos rêves et de nos désirs profonds ; elle nous éclaire à leur sujet.

L'autre forme, appelée visualisation programmée ou visualisation dirigée, est celle des sportifs. Elle permet de créer des conditions gagnantes pour réussir un projet ou réaliser un désir. Comme nous l'avons dit, en imaginant une situation souhaitée, en créant un scénario précis, on conçoit une situation que l'on désire voir survenir dans sa vie. Par ce moyen, on s'habitue à une nouvelle situation donnée. Cette forme de visualisation permet d'atteindre des objectifs précis et d'améliorer ses performances.

Ce que vise l'athlète de compétition

1. Une confiance absolue en ses capacités physiques et en lui-même.

2. Une concentration totale.

3. La pratique de la visualisation durant les jours et les semaines qui précèdent une compétition.

4. L'analyse des pertes ou des erreurs.

5. L'habileté à oublier ses erreurs ou ses défaites, pour s'intéresser plutôt à ses expériences positives et pour diriger ses intentions vers le futur.

6. La capacité de ne pas se percevoir comme un perdant, même à la suite d'une défaite, pour favoriser une image positive de soi.

Malgré tout, lorsque nous – Madame et Monsieur Tout-le-monde (par rapport aux athlètes d'élite) – pratiquons la visualisation créative, le plus souvent, l'exercice lie les formes libre et guidée. Ainsi, même si vous commencez la séance avec un but précis, votre imagination saura parfois vous faire voir quelques images vous informant sur ce que vous ressentez et désirez vraiment. La visualisation libre pourra éventuellement vous aider à préciser votre objectif ou votre projet.

Visualiser n'est pas que voir, c'est aussi sentir, toucher...

On croit d'emblée que visualiser ce n'est que voir. Or, c'est aussi entendre, toucher, sentir, ressentir, bouger, goûter. Pourquoi cela? Parce que nous visualisons avec tous nos sens, parce que les images que nous créons ne sont pas fixes; en fait, elles s'apparentent davantage à un film. Plus vous serez capable de bâtir un film qui tient compte de divers aspects de la réalité, mieux vous atteindrez les buts fixés lors des séances de visualisation créative. Voici quelques points de repère à ce sujet.

- *Visualiser, c'est voir.* Imaginez le visage de quelqu'un, sa démarche. Imaginez la porte d'entrée de votre maison, votre automobile ou un lieu que vous aimez. Imaginez la tour Eiffel, la statue de la Liberté, le rocher Percé.

- *Visualiser, c'est entendre.* Imaginez le bruit des automobiles sur l'autoroute, le bruit des vagues à la mer, le chant d'un oiseau ou le sifflement des cigales, la sonnerie de votre réveille-matin ou celle du téléphone, la voix de quelqu'un...

- *Visualiser, c'est toucher.* Imaginez que vous touchez de la soie, du velours, du lin, du bois, du sable, de la peau, des feuilles de papier, les feuilles d'un arbre, puis son écorce. Tout ce que vous touchez vous donne des sensations. Attardez-vous à sentir chaque chose que vous imaginez. En accompagnant vos visualisations de sensations tactiles, vous les clarifiez.

- *Visualiser, c'est ressentir.* Imaginez que vous êtes fatigué, puis que vous êtes rempli d'énergie. Imaginez que vous avez soif, que vous avez chaud, que vous avez froid. Imaginez que vous vous trouvez sur une plage chaude du Mexique ou d'une île merveilleuse. Toutes ces images viennent vous suggérer des sensations; de même, quand vous visualisez, vous pouvez enrichir les images de sensations.

- *Visualiser, c'est bouger.* La visualisation, ce n'est pas une photographie, c'est un film, un film que vous jouez sur votre écran personnel. Ça doit bouger dans votre écran intérieur pour exister. Pour exercer votre capacité de bouger et de faire bouger les éléments, imaginez que vous êtes en train de marcher très lentement, puis de plus en plus rapidement... Imaginez que vous ouvrez une porte, que vous entrez dans une pièce, que vous faites le tour de cette pièce... Imaginez que vous êtes assis sur un banc de parc, que vous vous levez pour ramasser une fleur, que vous la prenez et la remettez à quelqu'un...

- *Visualiser, c'est sentir les odeurs.* Exercez-vous à sentir l'odeur de la forêt et celle de la mer. Continuez en vous rappelant l'odeur d'un savon, d'un poisson, d'un parfum, de quelqu'un que vous aimez...

- *Visualiser, c'est goûter.* Imaginez la saveur du citron, de l'orange, du pamplemousse, du chocolat, d'un plat que vous aimez particulièrement, puis d'un autre que vous n'aimez pas du tout.

En somme, visualiser, c'est voir, mais c'est également sentir, ressentir, bouger et goûter... Plus nous réussissons à enrichir notre imagination en exerçant nos sens, plus nous nous éveillons à une réalité d'abondance. Trop souvent, nous nous contentons d'aller au plus pressé. Or, la visualisation nous donne l'occasion de développer notre «carte sensorielle» L'encadré suivant nous en énumère les étapes principales ; dans le chapitre qui suit, nous les verrons plus en détail.

Les principales étapes de la visualisation créative

1. Définir ses désirs.

2. En choisir quelques-uns qui nous semblent pertinents et essentiels.

3. Bâtir un scénario de réalisation.

4. Bâtir un film dans lequel vous êtes le scénariste, l'acteur principal, le réalisateur, et dont vous avez la totale responsabilité (musique comprise).

5. Projeter régulièrement ce film sur son écran intérieur.

Chapitre 2

Quelques habitudes à prendre

Le respect de certaines règles de base vous assurera des séances de visualisation pleinement efficaces. À long terme, si vous constatez que tel ou tel mode ne vous convient pas, vous pourrez faire des changements, mais durant les premiers temps, respectez les indications de ce chapitre, car elles vous guideront en lieu sûr. Voici donc ces règles.

- Visualiser efficacement, c'est *parler positivement.* Voilà une règle à respecter pour une raison toute simple : il est impossible d'utiliser négativement une affirmation. Si je vous dis : *Ne voyez pas le ciel bleu...* vous le verrez tout de suite. Si je vous dis : *Ne pensez pas à votre mère*, elle apparaîtra aussitôt sur votre écran imaginaire. Si, par exemple, vous souhaitez retrouver votre aisance face à quelqu'un, imaginez-vous en sa compagnie, calme, serein, joyeux... En pensant à la tristesse ou à l'agressivité que cette personne suscite en vous-même, vous risquez de renforcer les sentiments négatifs plutôt que de les écarter. Le fait de comprendre les raisons pour lesquelles un sentiment négatif vous envahit pourrait vous être utile (en période de réflexion, par exemple), mais la visualisation marche dans les deux sens : en imaginant une scène triste, on encourage sa répétition plutôt que d'en changer. Procédez donc positivement : imaginez ce que vous désirez, plutôt que de penser à ce qui vous a fait souffrir.

- Visualiser efficacement, c'est *parler au présent*. Pour une raison difficile à expliquer et malgré tout simple à comprendre, il est de loin préférable de nommer nos désirs au présent, comme s'ils étaient déjà réalisés. On donne de cette façon de la réalité à ce que l'on souhaite voir survenir. Construisez donc toujours vos affirmations positives au présent.

- Visualiser efficacement, c'est *choisir que les autres nous approuvent et nous soutiennent.*

Imaginez que les gens que vous faites intervenir dans vos séances de visualisation
réagissent positivement et dans un sens qui
vous est favorable. Quand les idées noires
vous montent à la tête et ne vous quittent
plus, c'est qu'il est temps de mettre fin à la
visualisation. Pensez alors à autre chose et,
surtout, faites autre chose.

• Visualiser efficacement, c'est *créer une unité
  intérieure*. Voyez si vos émotions (votre
  cœur), votre pensée (votre esprit) et votre
  désir d'action (votre corps) vont dans le
  même sens, s'ils veulent la même chose,
  s'ils sont en accord. Le cœur, la tête et le
  corps ont avantage à s'entendre et à viser un
  même but pour qu'une action soit un succès.
  Si votre esprit veut obtenir quelque chose ou
  faire une rencontre... et que l'émotion n'y est
  pas, vous forcerez la réalité, vous aurez
  tendance à y mettre plus d'intellect pour
  masquer le manque de sentiment. Ce désé-
  quilibre que nous nous cachons parfois,
  l'exercice de la visualisation permet de le
  voir rapidement. Ainsi, quand vous essaie-
  rez d'imaginer une situation que vous
  croyez vouloir se produire, mais qu'en réalité vous ne souhaitez pas, des images se
  superposeront, quelque chose bloquera, vous
  serez peut-être même incapable d'imaginer
  la situation... Si, par exemple, une image se

présente sur votre écran intérieur, puis se dérobe, si vous sentez un «oui, mais...», n'essayez pas d'aller de l'avant, cessez tout, vous reprendrez un autre jour, après avoir réfléchi à ce qui cloche ou à ce qui en vous-même s'oppose à ce désir.

- Visualiser efficacement, c'est *donner de la vraisemblance à nos scénarios.* Par exemple, si vous souhaitez parler avec une personne et la connaître sur un plan intime, imaginez-vous dans le décor dans lequel vous avez l'habitude de la rencontrer et voyez-vous avec cette personne. Les détails ont leur importance: rapprochez-vous le plus pos-sible de la situation que vous souhaitez voir se produire. Autre exemple: vous devez par-ler en public et cela vous intimide. Visualisez la situation, vous et les gens qui vous enten-dent. Que la scène ne soit pas silencieuse: entendez-vous, entendez les bruits de la salle, imaginez le plus réalistement possible ce qui pourrait se produire. Il existe plusieurs manières de percevoir et il est avantageux d'utiliser tous nos sens. Alors, allez-y: entendez les sons, voyez les gestes, sentez les odeurs, touchez...

- Visualiser efficacement, c'est *avoir le sens de la réalité.* Aucun rêve ne se réalise s'il n'est accompagné de gestes concrets allant dans un même sens. La visualisation est un outil d'accompagnement pour les réalisations souhaitées, elle n'est pas une baguette magique... ou plutôt oui, elle est une baguette magique, mais dont vous devez apprendre à vous servir. Si vous visualisez une situation rêvée, agissez dans le sens d'une réalisation concrète. Par exemple, si vous comptez acheter une maison d'ici cinq ans, visualisez le lieu et le type de maison qui vous tente, mais de plus, économisez et intéressez-vous à tout ce qui touche l'achat d'une maison. Gardez en tête que la pratique de la visualisation accompagne merveilleusement les actions concrètes.

- Visualiser efficacement, c'est *faire des choix*. La plupart des gens voudraient bien que des changements surviennent dans plusieurs secteurs de leur vie. Peut-on mener de front plusieurs changements? Assurément oui, mais dans une certaine mesure et dans un certain ordre. Ce n'est pas une règle au sens strict du terme, mais il vaut mieux établir des priorités et ne pas tout vouloir changer en même temps. Ainsi, vos visualisations ne devraient pas porter sur tous les sujets à la fois... Intéressez-vous à un changement durant deux semaines, puis passez à un autre durant quelque temps.

- Visualiser efficacement, c'est *agir sur le futur plutôt que sur le passé.* On suggère généralement de ne pas visualiser des scènes vécues dans le passé, et ce, même si le but est de leur donner une tournure favorable. Bon, vous pouvez toujours le faire si cela vous attire vraiment, mais il est probable qu'en tentant de régler ce qui s'est mal passé, vous vous mettiez simplement une fois de plus face à l'échec. Se remémorer le passé peut être utile pour comprendre certaines questions et certains échecs, mais il vaut mieux ne pas trop s'y attarder en visualisation. Notre cerveau enregistre, il vaut mieux l'entraîner à garder en mémoire ce qui nous est profitable, plutôt que ce qui nous maintient dans une humeur triste et dans un état de perdant.

- Visualiser efficacement, c'est *aller dans le sens de l'aisance.* Quand rien n'avance, quand vous êtes mal à l'aise, mettez fin à la séance et passez à autre chose. Les résistances sont normales et il faut simplement oser voir en face ce qui cloche. Si vous faites une séance de visualisation et que des images négatives (violentes, par exemple) se présentent à vous, c'est peut-être qu'il est temps de mettre fin à l'exercice ou de tout simplement laisser passer ces images, tels des nuages passant dans le ciel. La peur peut créer des images négatives et tout n'est pas rose en nous. Il m'est arrivé de voir des images très noires se transformer en bandes dessinées. Cela dit, il peut arriver que ce que vous désiriez voir se produire se heurte à une forte opposition en vous-même ou, plus simplement, que vous soyez fatigué. Lorsque votre être intérieur s'oppose, ne luttez pas en vain, prenez du repos. Vous y reviendrez plus tard ou vous prendrez conscience que ce que vous vouliez n'allait, en réalité, vous offrir rien de bon.

- Visualiser efficacement, c'est *bâtir des scénarios en accord avec nos qualités principales.* Chacun de nous est motivé par une ou deux qualités ou tendances, ou par un principe en particulier. Certains éprouvent un grand amour pour l'humanité, d'autres le souci de la justice, d'autres encore croient par-dessus tout en la vérité, ou accordent une grande importance à la beauté et à la créativité. En y pensant, vous constaterez que les décisions les plus importantes de votre vie ont toujours été prises en accord avec cette « qualité » principale que vous possédez. Découvrez et respectez votre qualité principale, et acceptez de la porter de plus en plus consciemment, vous ne le regretterez pas. Vous n'avez pas à en faire le sujet de toutes les visualisations, mais sachez que vos souhaits se réaliseront d'autant mieux qu'ils tiendront compte de la qualité maîtresse qui vous habite.

• Visualiser efficacement, c'est *voir ce que la réalisation d'un objectif aura comme conséquence à long terme.* Voici un exemple : si vous souhaitez faire l'acquisition d'une automobile luxueuse, sachez que des changements intérieurs d'attitude devront prendre place pour que se réalise votre vœu. Une automobile luxueuse entraîne des coûts financiers, et ces coûts impliquent souvent plus de travail, donc moins d'heures de loisirs et plus de fatigue... Bref, avant d'imaginer un de vos rêves, mesurez de façon réaliste ce que la concrétisation de ce rêve changera dans votre vie. Avoir une attitude responsable rend la vie plus agréable.

• Visualiser efficacement, c'est *faire confiance à son intuition.* Trop souvent, nous avons tendance à faire davantage confiance aux autres qu'à nous-mêmes. Notre intuition est notre meilleur guide en matière de visualisation. Partez du centre de vous-même... vous verrez ce qui vous inspire profondément.

• Visualiser efficacement, c'est *reconnaître que l'on ne maîtrise pas tout.* Lorsque l'on fait de la visualisation, un danger nous guette : celui de croire que l'on peut influencer les situations et les gens à notre guise. Gardons-nous d'avoir cette attitude. Si vous aimez bien quelqu'un et souhaitez vous en rapprocher, restez conscient que l'autre aura aussi son mot à dire, qu'il a son propre « cinéma » intérieur et que son film n'est pas forcément le même que le vôtre ! Même si la visualisation créative permet de maîtriser son destin, elle ne permet pas – moralement – de contrôler les autres. La réalité nous surprend toujours. En compétition sportive, la visualisation est très utilisée parce qu'elle offre au sportif la chance d'anticiper toutes les possibilités et de prévoir les conséquences d'une action. On tente de maîtriser les impondérables. Cela dit, les surprises existent et il vaut mieux le savoir et composer avec cette possibilité. Quand une personne visualise, elle va chercher en elle-même des situations, des solutions et des opinions. Or, la réalité, ce n'est pas seulement la personne qui visualise, c'est aussi les gens avec lesquels elle est en interaction et la vie elle-même. Autrement dit, quand nous visualisons, acceptons que l'autre et la vie puissent nous surprendre.

• Visualiser efficacement, c'est *dire oui au bonheur et à une part de facilité.* On peut considérer sa vie comme simple et agréable ou compliquée et dangereuse, comme triste ou gaie. Les faits viendront toujours nous surprendre, mais nous pouvons tout de même imaginer qu'une situation se produit avec aisance dans la joie, plutôt que dans la difficulté. Vous pouvez fort bien mener un projet à terme sans pour autant avoir la langue à terre et souffrir mille maux. Il n'est nul besoin de se fatiguer outre mesure ou de souffrir pour rien. Dites oui à l'aisance.

- Visualiser efficacement, c'est *être patient et un brin détaché.* Rome ne s'est pas bâtie en un jour, vous le savez. Faites vos séances de visualisation créative, puis n'y pensez plus. Il ne sert à rien de s'acharner. Être persévérant est utile, mais se montrer obsessif ne mène à rien. Dès que vous avez fini une séance, passez à autre chose, intéressez-vous au quotidien, à ce qui se présente dans votre vie. Il faut prendre du repos de tout, y compris de ses rêves. En plus, le désir obsessionnel de réaliser immédiatement un rêve peut court-circuiter sa réalisation même. C'est un peu comme si on exigeait une transformation trop rapide. Rappelez-vous que la résistance survient lorsque l'on hâte les changements.

- Visualiser efficacement, c'est *accepter qu'il y ait des progrès, des reculs et des périodes de stabilité.* Dans tout ce que nous entreprenons, il y a des moments où tout semble favorable, des périodes de retraite et des moments d'immobilité. Le même phénomène existe en visualisation. Parfois, les images abondent, le film est fluide et notre imagination va exactement là où nous le voulons, bref, il y a unité intérieure ; d'autres fois, il y a blocage. Il ne faut pas y voir un échec, mais plutôt une période durant laquelle l'unité intérieure se bâtit tranquillement. On évolue par à-coups, tel un enfant qui grandit de trois centimètres en un mois, puis qui ne bouge plus pendant des mois, pour reprendre sa croissance après ce temps d'arrêt. Le même phénomène se vérifie en tout. Par exemple, durant quelques semaines, vous ferez beaucoup de rencontres, vous serez très occupé et en compagnie nombreuse, puis tout se calmera, un temps de retrait débutera, qu'il faudra simplement prendre pour ce qu'il est, sans s'alarmer. De même, en visualisation créative, on avance, on recule, on s'arrête, puis on recommence.

- Visualiser efficacement, c'est *adopter un rituel, puis le personnaliser, inventer et l'adapter à ses propres besoins.* Dans le prochain chapitre, vous trouverez un modèle de séance et dans le suivant, des visualisations plus précises vous seront suggérées. À partir de cette base, vous pourrez démarrer de la bonne façon, puis vous pourrez adapter

les visualisations à votre situation particulière. Vous êtes unique et la façon dont vous
imaginez votre futur l'est également.

Visualiser efficacement, c'est

- parler positivement: bâtissez vos phrases sur
  un mode positif;

- parler au présent: construisez vos phrases
  au présent comme si la situation désirée
  existait déjà;

- choisir que les autres nous approuvent et
  nous soutiennent: dites non aux scénarios
  qui ne vous serviront pas et concentrez-vous
  sur ceux qui vous permettent de vous épa-
  nouir;

- créer une unité intérieure: tenez compte de
  ce que vous pensez, de ce que vous ressentez physiquement et de ce que vous ressentez émotivement;

- donner de la vraisemblance à nos scénarios:
  faites appel à tous vos sens;

- avoir le sens de la réalité: accompagner vos
  visualisations d'actions concrètes;

- faire des choix: n'essayez pas de tout régler
  en un rien de temps;

- agir sur le futur plutôt que sur le passé: en session de visualisation, construisez le futur;

- aller dans le sens de l'aisance: si vous êtes mal à l'aise durant une séance de visualisation, cessez; vous reprendrez l'exercice plus tard;

- bâtir des scénarios en accord avec nos qualités principales: bâtissez vos scénarios en tenant compte de ce qui vous motive vraiment;

- voir ce que la réalisation d'un objectif aura comme conséquence à long terme: soyez responsable, prenez le temps d'évaluer ce qui pourrait se produire;

- faire confiance à notre intuition: partez de ce que vous ressentez profondément;

- reconnaître que nous ne maîtrisons pas tout: ce que vous voulez, les gens concernés ne le veulent peut-être pas;

- dire oui au bonheur et à une part de facilité: il n'est pas nécessaire d'être austère et de se croire né pour un petit pain. Vous pouvez atteindre vos objectifs sans vous tuer à la tâche;

- être patient et un brin détaché: formulez, visualisez et oubliez ;

- savoir qu'il y aura des progrès, des reculs et des périodes de stabilité: en visualisation comme dans la vie, tout ne va pas toujours tout droit ;

- adopter un rituel, puis le personnaliser, inventer et l'adapter à nos propres besoins: chacun est unique et crée son existence.

Chapitre 3

Rituel pour
une séance réussie

Pour effectuer des séances de visualisation
créative efficaces, il est utile d'établir un plan
précis. Pourquoi donc ? Parce qu'en suivant un
rituel, vous entrerez plus vite dans l'état d'esprit
propice à la visualisation. Ce rituel vous permettra également de vous libérer des tensions,
de concentrer votre énergie et d'être réceptif. Je
vous propose ici le programme d'une séance.
Au fil de votre pratique, vous pourrez l'ajuster à
votre convenance.

Première étape

Fixer ses objectifs

Il m'est arrivé à plusieurs reprises, en début de séance de visualisation, de me rendre compte que mes désirs de changements étaient nombreux mais désordonnés. Mille et une idées nouvelles me venaient en tête, mais sans but précis, de sorte que je n'allais nulle part.

Il est salutaire de prendre le temps de se fixer des objectifs ; autrement, on risque de rester dans le « vagabondage » d'idées et la simple rêverie. Sans devenir pointilleux, et tout en se donnant la chance de changer d'idée à l'occasion, il est avantageux de fixer des repères, de planifier son chemin. Le fait de vous fixer des objectifs donnera une direction plus précise à vos visualisations, donc à votre vie.

Se fixer des objectifs, c'est permettre au succès d'advenir. Et le succès entraîne le succès, nous le savons tous. Si vous vous dites « La semaine prochaine, je veux remettre ce travail » ou « Je veux courir cette distance en 1 heure », ou encore « Je veux économiser 1 000 dollars », et que vous atteignez votre objectif, votre cerveau enregistre un succès. Ce succès modifie votre perception de vous-même dans un sens positif. Et c'est ainsi que, peu à peu, vous apprenez à gagner.

Vous n'avez pas à répéter cette étape – l'éta-blissement d'objectifs – chaque fois que vous visualisez, mais n'hésitez pas à la refaire pério-diquement de manière à mieux préciser ce que vous désirez accomplir. Changez vos objectifs quand vous en sentez le besoin.

Exercice proposé

Voici un exercice pour vous aider à mettre de l'ordre dans vos désirs de changement.

Dressez une liste de ce que vous aimeriez changer, améliorer ou posséder. Pour l'instant, ne fixez pas de limite de temps. Soyez aussi attentif à ne pas emprunter les rêves des autres : voyez ce que VOUS voulez vraiment réaliser. Écrivez aussi librement que possible ce que vous souhaitez idéalement dans tous les domaines de votre vie. Le tableau de la page suivante vous présente quelques suggestions à ce propos.

Les objectifs	
Relations	Améliorer les relations avec les enfants, les parents, le partenaire amoureux, la fratrie, les amis, les collègues...
Travail ou carrière	Changer de carrière ou de poste ; établir ses buts, connaître sa mission ; travailler moins d'heures ; avoir plus de discipline...
Style de vie et possessions	Vivre à la campagne ou en ville, ou les deux ; acquérir une maison, une automobile, un bateau de plaisance ; faire tel genre de sorties, de rencontres, se cultiver...
Argent	Payer ses dettes ; économiser un montant x, augmenter ses gains annuels, son salaire...
Loisirs et voyages	S'adonner à un nouveau loisir ; s'initier à un sport ; développer un mode de création ; voyager...

Créativité/éducation	Définir de nouveaux apprentissages...
Évolution personnelle	Développer sa vie spirituelle ; faire face à des problèmes psychologiques ; régler des blessures d'enfance ou présentes...
Environnement/ situation du monde	Définir sa position par rapport à la situation du monde ; établir un accord au quotidien entre ses valeurs politiques et morales, et sa pratique de vie...

Relisez votre liste en observant et en corrigeant les contradictions entre vos différents projets. Par exemple, si vous souhaitez travailler peu et gagner beaucoup d'argent, il faudra sans doute faire un choix.

Une fois cette première partie terminée, prenez une autre feuille et fixez-vous une dizaine d'objectifs que vous voudriez avoir réalisés dans cinq ans.

Sur une autre feuille, écrivez cette fois cinq objectifs que vous voudriez avoir réalisés dans un an.

Prenez encore une autre feuille et inscrivez-y entre trois et cinq objectifs que vous voudriez avoir réalisés dans six mois.

Sur une dernière feuille, écrivez un ou deux objectifs que vous voudriez avoir réalisés dans un mois, puis dans une semaine.

Lorsque vous faites cet exercice, gardez bien présent à l'esprit que vous pourrez changer vos objectifs aussi souvent que vous le voudrez. Rien n'est immuable. Il est même bon de revoir ses objectifs de temps en temps et de les modifier en conséquence de ce qui survient au moment présent.

Gardez également en tête d'écrire ce à quoi vous aspirez vraiment. Il est très facile de se laisser emporter par les modes. Exemple fréquent : tout le monde veut plus d'argent, alors vous inscrivez que vous voulez gagner plus d'argent ! Pourquoi cela, si vous en avez suffisamment et que vos priorités sont ailleurs ?

Ensuite, n'oubliez pas d'écrire au présent. Imaginez-vous cinq ans plus tard et dites : « Je suis dans la maison de mes rêves... », plutôt que : « Je serai dans la maison de mes rêves... ».

Pour les courtes périodes (un mois et une semaine, par exemple), ayez des objectifs simples et réalistes. Plus le laps de temps est court, plus il est avantageux que votre but soit facilement accessible, et que le succès soit possible.

Si vous n'atteignez pas un objectif (cela surviendra certainement), ne vous en faites pas. Reconnaissez simplement que vous ne l'avez pas atteint, réfléchissez aux raisons qui ont causé cette situation, puis tirez un trait... et tournez-vous vers le présent et le futur. Ce retour sur soi est utile, car il fait en sorte que les échecs ne s'accumulent pas sous la couverture ; abstenez-vous toutefois de ressasser les émotions et les situations négatives. De la même façon, lorsque vous atteignez un objectif, constatez-le et goûtez votre succès. Reconnaître ses victoires est capital.

Deuxième étape

S'installer

La deuxième étape consiste à vous éloigner de ce qui pourrait vous déranger ou nuire à la bonne marche de vos séances de visualisation ; il s'agit de créer une ambiance propice à la détente. Il serait bête de commencer une séance de visualisation et d'entendre la sonnerie du téléphone, le son du téléviseur ou la voix d'un proche vous réclamant. Faites donc en sorte que votre environnement ne nuise pas à la visualisation créative. Les consignes qui suivent vous aideront à créer une atmosphère favorable.

- Le confort. Il est primordial de vous sentir à l'aise. Choisissez un lieu tranquille et dans lequel vous vous sentez bien. Portez des vêtements confortables ; un survêtement est idéal. Asseyez-vous ou allongez-vous, selon ce qui vous semble le plus agréable. Si vous optez pour la position assise, choisissez un fauteuil confortable, tenez-vous le dos droit, la tête dans le prolongement du dos, la musculature du cou détendue, et fermez les yeux. Assurez-vous d'avoir les pieds bien à plat au sol, les jambes un peu écartées ; les avant-bras doivent être relâchés le long du corps, posés sur l'accoudoir ou sur vos cuisses, et les mains, libres. Si vous optez pour la position allongée, installez des coussins sous votre nuque ou sous vos genoux, ou de manière à être bien. Ne croisez pas les membres, tournez les paumes vers le sol et fermez les yeux.

- Faites le silence autour de vous et tamisez la lumière. L'éclairage vous convient-il ? Vous sentez-vous à l'aise et dans un état de calme là où vous vous préparez à faire de la visualisation créative ? Même si vous fermez les yeux, il vaut mieux ne pas sentir que l'éclairage est trop fort. Choisissez des moments de la journée où il vous sera facile d'être tranquille, par exemple, quelques minutes avant l'heure habituelle du réveil. Décrochez le téléphone et mettez votre portable hors fonction. Si vous aimez la musique, essayez de ne pas choisir une pièce qui change de rythme.

• Détournez-vous des inquiétudes. Tous les jours, obligations, problèmes et responsabilités de toutes sortes nous assaillent. Parmi toutes ces pensées, le plus souvent, une ou deux d'entre elles se font plus obsédantes. Si vous n'arrivez pas à vous débarrasser de pensées prenantes, faites d'abord une visualisation sur l'arbre aux problèmes (voir la séance à la page 77), vous y trouverez un moyen de mettre de côté vos préoccupations.

Troisième étape

Respirer

Une séance de visualisation efficace s'accompagne d'une respiration adéquate. L'essentiel est de savoir qu'une bonne respiration est avant tout abdominale en ce sens qu'elle va jusqu'au ventre et devrait normalement le gonfler. Il existe de nombreuses techniques de respiration dont vous pourrez vous inspirer. Pour ma part, je ne crois pas aux techniques qui demandent de retenir son souffle; elles me semblent créer des problèmes d'équilibre et de détente. En la matière, je vous suggère de toujours choisir ce qui se rapproche le plus du rythme naturel.

Technique proposée

Ne vous préoccupez pas de l'inspiration, sauf pour ce qui est de vous dire que celle-ci doit remplir votre abdomen.

1. Commencez par une expiration complète, comme si votre ventre allait toucher votre colonne vertébrale.

2. Constatez que l'inspiration se fait d'elle-même. Laissez cette inspiration se rendre jusque dans votre abdomen tout en sentant que l'air gonfle également votre thorax.

3. Expirez comme en 1.

4. Inspirez à nouveau.

Ne faites pas d'arrêt et ne retenez pas votre souffle entre l'inspiration et l'expiration. Inspirez et expirez simplement, sans pression, en maintenant une attention particulière à l'expiration complète et au gonflement du ventre à l'inspiration. Le fait de respirer profondément favorisera une bonne concentration; cela vous calmera également tout en augmentant votre niveau d'énergie. La plupart d'entre nous respirent seulement jusqu'à la hauteur du thorax, plutôt que de descendre au niveau du ventre. Une respiration est bonne quand on la sent jusque dans son ventre, exactement dans la région située à quelques centimètres sous le nombril. Les Japonais nomment cette région du corps le *hara*, les Chinois, le *tantien*.

Quatrième étape

Se relaxer

Vous ne tirerez rien de bon d'une visualisation forcée ou d'une visualisation accompagnée de trop de tensions. Si la respiration calme ne vous suffit pas, prenez le temps de faire une séance de relaxation en bonne et due forme. Je vous présente ici deux manières de procéder.

Méditation courte

Cette forme de détente se fait en environ cinq minutes. Dans un lieu tranquille, fermez les yeux et prenez quelques respirations lentes. Commencez par expirer le plus possible, puis sentez l'inspiration entrer en vous et se rendre jusque dans votre ventre. Ensuite, détectez les lieux de tension dans votre corps (par exemple, les droitiers ont souvent des tensions de ce côté), parcourez mentalement tout votre corps en débutant par votre côté fort et par les membres supérieurs. Imaginez que vos muscles sont pleins de petits travailleurs acharnés à qui vous envoyez le message de se mettre au repos. Débutez par l'épaule, puis passez au bras, au coude, à l'avant-bras, aux paumes des mains et aux doigts. Chacun d'entre nous a ses propres tensions; attardez-vous là où vous en sentez la nécessité. Du bras droit ou gauche, passez à l'autre côté, puis aux jambes, sans oublier les pieds, les chevilles, les genoux. Concentrez-vous ensuite sur le tronc en incluant le sexe. Remontez vers le cou, puis passez à la tête en vous attardant sur votre visage, vos yeux et votre front. Prenez ensuite le temps de savourer cet état de détente.

Méditation sur les chakras

Cette forme de méditation[1] est à la fois intéressante et simple. Qu'elle soit suivie ou non d'une séance de visualisation, elle repose et dynamise tout à la fois le corps et l'esprit.

Chakra est un mot sanskrit signifiant «roue». Il fait référence aux sept centres d'énergie dont notre système est composé. Ces chakras fonc-

---

[1] La méditation qui suit a été trouvée sur Internet, à l'adresse suivante: chez.com/alinepasqui/relaxation.htm (adaptée par l'auteure).

tionneraient comme des pompes régulant notre système énergétique. Ils ne sont pas physiques, mais représentent plutôt des aspects de notre conscience. Les chakras principaux sont au nombre de sept, mais l'auteur dont je m'inspire s'intéresse également à un huitième chakra, celui du thymus. On dit que ces points de conscience véhiculent une énergie subtile : nous serions comme une plante dont la sève monte. Si l'un des chakras est fermé, c'est le désordre en nous.

Chakra racine

Ce chakra de base permet de combattre ; il donne la force de s'imposer, en plus de procurer sécurité et bien-être. Posez votre conscience sur le bas de votre colonne vertébrale (le coccyx). Imaginez que cet endroit se remplit de la couleur rouge. Visualisez mentalement la couleur rouge à l'intérieur et à l'extérieur de votre corps. Maintenez votre conscience sur le chakra racine pendant une ou deux minutes, vous stimulerez l'énergie du bien-être et de la confiance en soi.

Chakra du sexe

Ce chakra stimule la créativité physique, artistique et sexuelle. Posez votre conscience sur le chakra du sexe et essayez de visualiser sa couleur orange à l'intérieur et à l'extérieur de votre corps. Restez ainsi pendant une ou deux minutes afin de stimuler votre créativité.

Chakra du plexus solaire

Ce chakra est au centre de toutes les énergies. Son bon fonctionnement favorise notre sensibilité aux vibrations d'autrui et à celles des lieux. Posez votre conscience sur le chakra du plexus solaire (abdomen). Visualisez sa couleur jaune à l'intérieur et à l'extérieur de votre corps. Faites briller le jaune comme un soleil. Imaginez que vous éclairez ainsi la pièce où vous vous trouvez. Restez sur ce chakra pendant une ou deux minutes, c'est le centre de toutes vos énergies.

Chakra du cœur

Ce chakra stimule l'amour, celui que vous recevez et celui que vous donnez. Il favorise aussi la communion des idées. Posez votre conscience sur le chakra du cœur (entre les deux seins) et essayez de visualiser sa couleur verte. Choisissez un vert printanier et laissez ce vert envahir votre poitrine, à l'intérieur et à l'extérieur. Envoyez des pensées d'amour à ceux que vous aimez, puis à la terre, aux hommes, aux animaux, aux arbres, aux fleurs, aux plantes, à la mer... Restez sur ce chakra le temps désiré.

Chakra du thymus

Ce chakra favorise la compassion, la paix intérieure et la télépathie. Posez votre conscience sur le chakra du thymus (en haut de la poitrine, quelques centimètres plus haut que le chakra du cœur) et visualisez sa couleur bleu marine tant à l'extérieur qu'à l'intérieur de votre corps. Imaginez une fontaine. C'est le chakra de la sérénité et de la paix intérieure.

Chakra de la gorge

Ce chakra favorise l'écoute et la communication avec les autres. Posez votre conscience sur le chakra de la gorge et laissez votre gorge s'envahir de la couleur bleu ciel. Invitez ce bleu de mer à se rendre sur vos oreilles.

Chakra du troisième œil

Ce chakra favorise la clairvoyance et l'intuition. Posez votre conscience entre vos sourcils, sur le chakra du troisième œil, et visualisez un rayon de lumière indigo à l'intérieur de votre front. Si vous le pouvez, laissez sortir ce rayon de lumière et balayez la pièce comme avec un rayon laser. Vous favorisez ainsi le développement de vos perceptions extrasensorielles.

Chakra de la couronne

Ce chakra favorise la conscience cosmique. Posez votre conscience au sommet de votre crâne, au chakra de la couronne, et visualisez sa couleur violette. Laissez le violet monter vers le ciel. Vous vous connectez au divin. Restez une ou deux minutes sur ce chakra.

Maintenant, essayez d'imaginer votre corps composé de toutes les couleurs que vous venez de lui donner. Repassez en mémoire le rouge, l'orange, le jaune, le vert, le bleu marine, le bleu ciel, l'indigo et le violet.

Cette méditation est une forme de visualisation en soi, mais vous pourrez tout de même la faire suivre d'une séance de visualisation dirigée ou libre.

Cinquième étape

Visualiser

Pour cette étape, reportez-vous aux règles de base du chapitre 2. Sachez également qu'il est plus important de ressentir que de voir comme tel. Certaines personnes – nous pouvons supposer qu'il s'agit de gens moins «visuels» de nature – ressentent et entendent davantage qu'elles ne voient. Il n'y a rien de mal à cela et rien qui ne puisse empêcher quelqu'un d'atteindre ses objectifs. Avec le temps, vous comprendrez de quelle manière vous visualisez (voir l'annexe 2, «Sept questions pour comprendre votre nature», à la page 133).

Autre point : je ne vous ai pas encore parlé du lieu où votre écran visuel ou sensoriel est situé : *grosso modo*, l'écran se situe à la hauteur du milieu du front à plus ou moins trente centimètres devant vous.

Encore un point : une séance de visualisation peut durer cinq minutes comme elle peut durer quarante-cinq minutes si vous faites une séance de relaxation profonde. La visualisation comme telle dure généralement entre cinq et quinze minutes. Au-delà de ce temps, on se fatigue inutilement.

Sixième étape

Fin de l'état méditatif et retour à la normale

Cette étape est courte. Qu'il suffise de vous dire que lorsque vous mettez fin à une séance, il est bon de le faire tranquillement et de revenir à l'état d'éveil après avoir pris le temps de respirer calmement. Ne vous pressez pas, vous vous en trouverez mieux.

Pour des séances réussies
• Fixez vos objectifs.
• Installez-vous confortablement.
• Respirez profondément.
• Détendez-vous.
• Visualisez.
• Revenez lentement à la normale.

Chapitre 4

Exercices de visualisation

La visualisation consiste à créer des images mentales, à composer un film dans votre esprit. Lorsque l'on commence à faire de la visualisation, les images que l'on voit s'apparentent davantage à des vues de l'esprit qu'à une image réelle. Dans ce chapitre, nous ferons quelques exercices afin de mieux cerner les différents aspects de l'image mentale et d'apprendre à composer une image de plus en plus précise.

Au début de l'expérience, les images pourraient ne pas être claires ou, à tout le moins, vous sembler plus floues que la réalité. Plus vous ferez de la visualisation et plus vos sens s'affineront, plus vous apprendrez à observer

53

attentivement les lieux, les gens, les façons de bouger, etc.

Exercice n° 1

Visualisation d'une figure géométrique à deux dimensions et en noir et blanc

En premier lieu, choisissez une image à deux dimensions, soit une figure géométrique, par exemple comme un triangle ou un carré. Dessinez-la à l'aide d'un stylo noir sur une feuille blanche. Remarquez la clarté de la forme. Fixez votre attention sur cette figure durant une bonne minute. Puis, fermez les yeux et reproduisez la figure (comme si elle se situait à environ quarante centimètres de votre front). Ouvrez les yeux, fixez encore une fois l'image, refermez les yeux et visualisez. Poursuivez l'exercice durant trois ou quatre minutes. Les premières fois, l'image pourrait vous sembler peu claire ou flottante. Personnellement, la première fois que j'ai fait cet exercice, après avoir dessiné un triangle, un cercle apparaissait lorsque je fermais les yeux! Si quelque chose du genre vous arrive, surtout, ne déclarez pas tout de suite que vous n'avez pas d'habiletés pour la visualisation. Persévérez. À ce stade-ci (ou même plus tard), vous n'avez pas à vous fixer des attentes sévères. Répétez l'exercice, vous y arriverez. Il se peut aussi qu'au bout de longues minutes de pratique, vous bloquiez les sensations par fatigue. À ce moment-là, détendez-vous par des exercices de respiration, puis vaquez à vos activités quotidiennes.

Exercice n° 2

Visualisation d'un petit objet à trois dimensions ; introduction à la couleur et aux formes irrégulières

Pour ce deuxième exercice, vous pouvez choisir un fruit ou un objet de la taille d'un fruit et présentant des aspérités. Optez, par exemple, pour une pierre, une fleur, un coquillage ou un bibelot aux formes relativement simples. Vous aurez ainsi l'occasion d'en explorer les détails. Dans un premier temps, mettez l'objet à la hauteur de vos yeux. Ne l'entourez pas d'autres objets, isolez-le sur une table, en l'éloignant de tout ce qui pourrait nuire à votre concentration.

Respirez profondément, relaxez-vous et observez l'objet durant une bonne minute. Fermez vos yeux et projetez l'image que vous venez d'examiner à quarante centimètres de votre front. Observez attentivement la forme de l'objet, ses détails, les couleurs, les irrégularités... Ouvrez vos yeux et comparez les deux visions, observez encore un peu plus, puis refermez les yeux. Répétez l'exercice à quelques reprises.

Il est possible que vous ayez davantage l'impression d'imaginer l'objet plutôt que de le voir mentalement. Mais en persévérant et en répétant l'exercice sur plusieurs jours, vous verrez peu à peu apparaître l'objet choisi.

Exercice n° 3

Visualisation d'un lieu de votre passé

Ça se complique un peu ! Ce troisième exercice fait appel à votre mémoire. Il s'agit de visualiser la chambre de votre enfance ou une pièce familière de votre passé. Voilà un type de visualisation qui sera plaisant si vous choisissez un lieu où vous avez laissé de bons souvenirs. Pensez donc à un endroit où vous avez vécu de bons moments. Fermez les yeux, prenez quelques respirations profondes et relaxez-vous. Imaginez que vous êtes au centre de la pièce en question. Observez les murs devant vous, les murs latéraux, les fenêtres, les rideaux, les décorations murales, puis les meubles, les bibelots, les tissus, la lumière et l'ambiance générale... En vous concentrant, retrouvez dans votre mémoire des détails oubliés. Retournez-vous, observez un autre angle de la pièce, les meubles, le plancher, les portes, la garde-robe, les étagères.... Tournez sur vous-même, observez les quatre murs, avancez dans la pièce, dirigez-vous vers le couloir ou vers une autre pièce. Après un certain temps, revenez tranquillement au présent et ouvrez les yeux.

Exercice n° 4

Observation mentale d'un objet de grande dimension : encore un exercice de mémoire

Comme chaque fois que vous faites de la visualisation, commencez par vous centrer sur votre respiration et par vous relaxer. Puis, choisissez un objet de grande dimension, comme une maison que vous avez bien connue. Vous êtes devant l'entrée ; remémorez-vous la porte, les fenêtres, les couleurs, la toiture, les matériaux de construction, les arbres tout autour ou la rue... Maintenant, faites tranquillement le tour de la maison : observez les quatre côtés et prenez contact avec votre manière de vous rappeler les détails. Est-ce précis ? Est-ce senti ? Approchez-vous mentalement pour observer les fenêtres ou tout autre détail qui vous intéresse. Notez les couleurs, la lumière ambiante...

Certaines personnes auront l'impression que leur corps bouge pour se rendre près du détail à observer, tandis que d'autres feront simplement avancer leur conscience sans que leur corps semble être de la partie. Il n'y a pas d'attitude proprement juste, mais à long terme et pour les visualisations dirigées, vous aurez certainement avantage à sentir que votre corps est bien présent.

Exercice n° 5

Observation d'un objet de dimension moyenne, de plusieurs points de vue

Choisissez un objet de grosseur moyenne, par exemple un meuble. Même si vous le connaissez bien, prenez le temps de l'observer attentivement. S'il s'agit d'une chaise par exemple, faites-en le tour, situez-vous à différents niveaux de manière à pouvoir l'observer de différents points de vue... Remarquez les couleurs, les matériaux, la forme ou tout autre détail intéressant.

Puis, prenez quelques respirations profondes, détendez-vous, fermez les yeux et imaginez que la chaise est face à vous. Voyez les détails, les matériaux, les couleurs, la forme, faites-en le tour mentalement. Prenez le temps de voir la chaise dans votre esprit aussi précisément que possible, de chaque côté. Maintenant, imaginez que vous vous situez au-dessus de l'objet ; ensuite, observez-le de différents niveaux.

Ouvrez les yeux et comparez ce que vous avez vu mentalement à ce qui est réel. Refaites l'exercice à quelques reprises. Cet exercice s'apparente à la manière chinoise de faire de l'illustration : les artistes (est-ce d'antan ou d'aujourd'hui ?) ont l'habitude d'observer longuement un paysage, puis de retourner à l'atelier et de le recréer.

Exercice n° 6

Observation d'un objet de dimension moyenne qui présente des irrégularités ; mouvement de l'objet

Observez l'objet choisi (par exemple une bouilloire, un pot à eau, une plante ou tout autre objet non symétrique). Faites-en le tour, regardez-le bien comme si vous étiez plus bas, plus haut, à sa hauteur. Notez les détails...

Prenez trois ou quatre grandes respirations, détendez-vous et fermez les yeux. Visualisez les détails de l'objet choisi : matériaux, forme, bec, poignée, forme des feuilles, des fleurs... Imaginez ensuite que l'objet tourne lentement sur lui-même de manière que vous puissiez observer tous les côtés, le dessus et même le dessous.

Exercice n° 7

Observation d'un lieu ; entraînement à l'imagination créative

Dans cet exercice, il s'agit d'observer un lieu de mémoire, de vous y mouvoir et de vous imaginer en train de faire quelque chose d'impossible en réalité. Il s'agit ici d'exercer et de contrôler votre imagination.

Premièrement, étendez-vous, fermez les yeux, prenez quelques respirations profondes et relaxez-vous. Retournez dans la pièce que vous avez imaginée au troisième exercice ou allez (en imagination) dans un autre lieu qui vous est familier. Imaginez-vous au centre de la pièce et observez-la tranquillement. Tournez sur vous-même de manière à faire face aux quatre murs ; ce faisant, observez les meubles, les textures, les couleurs, voyez ce qui se trouve sur les murs... Puis, avancez dans la pièce, attardez-vous à un objet posé sur une table (un crayon, un bouquet de fleurs, un bibelot) et imaginez que cet objet se met à flotter dans les airs... Laissez votre imagination vagabonder, n'essayez pas de rationaliser ; imaginez ensuite que d'autres objets se trouvent dans l'atmosphère... Puis, faites-les tranquillement se poser. Avancez dans la pièce de manière à vous rendre à une fenêtre ou à une porte. Imaginez alors que vous passez à travers cette fenêtre ou cette porte et que vous commencez vous-même à flotter dans les airs. Observez la nature ou ce qui se trouve autour de vous : une rue, un jardin, le ciel, des arbres... Ne vous éloignez pas de la maison. Maintenant, redescendez tranquillement sur le plancher des vaches, prenez quelques respirations et revenez tranquillement à la réalité.

Exercice n° 8

Modification de l'objet observé ; imagination

Pour cet exercice, vous pouvez utiliser un ballon ou un nuage.

Étendez-vous confortablement, prenez quelques respirations profondes, fermez les yeux et détendez-vous.

Imaginez un ballon rouge non soufflé. Soufflez-le, attachez l'embout, donnez-lui un petit coup de manière qu'il monte vers le plafond. Observez-le. Il redescend... Maintenant, imaginez que le ballon devient vert, puis jaune, puis rose, puis bleu. Ensuite, imaginez que vous soufflez un autre ballon ; cette fois, il est jaune et de forme allongée. Soufflez-en un autre, vert cette fois, beaucoup plus gros que les précédents... Laissez votre imagination vous guider de façon qu'il y ait tout plein de ballons dans la pièce.

Ou imaginez-vous dans un parc, assise sur un banc. Levez les yeux au ciel et observez un nuage, voyez-le grossir, changer de forme, visualisez un personnage ou un animal. Puis, voyez-le changer de couleur, devenir lourd et gris, se gonfler... Revenez à un nuage blanc... puis observez son mouvement en imaginant qu'il y a beaucoup de vent.

Exercice n° 9

Visualisation d'un être vivant

Choisissez une personne que vous connaissez bien et que vous voyez souvent et de près.

Étendez-vous, prenez quelques respirations profondes, relaxez-vous, fermez les yeux...

Imaginez que la personne choisie se tient à courte distance de vous. Regardez son visage comme si vous étiez tout proche. Remarquez son expression faciale, la forme de son visage, la couleur de ses yeux, sa peau, ses joues, ses cheveux. Observez attentivement la forme de sa bouche et celle de son nez. Éloignez-vous un peu et observez son corps ; remarquez ses vêtements et sa manière de se tenir. Remarquez sa manière de bouger, le mouvement de ses bras, de ses jambes, le port de sa tête. Entendez sa voix, son accent, remémorez-vous sa façon de parler. Parlez-lui un peu, puis laissez la conversation se terminer.

Les premières fois que vous ferez cet exercice, vous pourriez avoir de la difficulté à vous remémorer certains traits spécifiques : par exemple, vous entendrez facilement sa voix, tandis que vous aurez de la difficulté à vous remémorez son visage. Avec le temps, votre sens de l'observation s'affinera.

Exercice n° 10

Visualisation de soi

Prenez quelques grandes respirations, relaxez-vous et fermez les yeux.

Imaginez que vous êtes devant vous-même. Si vous avez de la difficulté à vous percevoir, regardez quelques photographies avant de commencer. En fait, nous sommes toujours présents dans nos visualisations, mais il s'agit cette fois de séparer notre conscience de nous-mêmes et notre corps... Voyez vos cheveux, la forme de votre visage, vos yeux, votre nez, votre bouche, l'impression générale que vous dégagez. Puis, observez votre corps, votre manière de vous tenir, votre façon de bouger. Imaginez que vous répondez au téléphone. Voyez les mouvements, notez l'inflexion de votre voix, votre ton...

Cet exercice peut être troublant les premières fois. Notre ego entre en jeu et il ne sera pas forcément ravi... C'est comme se voir à l'écran... les acteurs disent souvent que ce n'est pas facile.

Exercice nº 11

La visualisation et les autres sens

Cette fois, il s'agit de vous imaginer dans un lieu, à un moment que vous avez particulièrement apprécié et, surtout, de visualiser les sensations que vous avez éprouvées à ce moment-là. Un moment heureux est idéal. Si vous vous imaginez sur une plage ou faisant une promenade autour d'un lac ou en skiant, vous aurez la possibilité d'imaginer davantage ce que vous avez vu... ce que vous avez senti, touché et ressenti.

Par exemple, si je me souviens d'une promenade sur une plage, j'observe le sable, la mer, le ciel, les gens, je ressens la brise, je sens l'odeur de la mer, j'entends le bruit des vagues, je vois les oiseaux et j'entends leurs cris. Je prends du sable dans ma main, je le laisse glisser... Je sens le sable entre mes orteils...

Dans cet exercice, nous explorons non seulement la vue et le son, mais aussi les sensations vécues par tout le corps, l'odorat et le toucher... Ceci nous permet d'enrichir nos visualisations, de les rendre plus concrètes.

Exercice n° 12

L'impact de la visualisation sur notre attitude corporelle

Cette fois, vous vous imaginerez tenant un objet lourd, puis un objet très léger. Il s'agit de voir de quelle façon votre corps réagit, même dans une situation imaginée.

Prenez quelques respirations profondes, relaxez-vous et fermez les yeux.

Imaginez que vous tenez un objet très lourd. Sentez vos bras fatigués, sentez vos épaules arrondies, votre dos sollicité... Puis, déposez l'objet et prenez un bouquet de ballons... Imaginez que ces ballons sont remplis d'hélium, que vos bras montent vers le haut, que vos épaules et votre dos s'allègent...

Exercice nᵒ 13

La visualisation réceptive ou spontanée

La visualisation peut être un exercice de contrôle, mais elle offre aussi des possibilités de création spontanée. Cet exercice est purement imaginaire, il ne fait pas appel à la mémoire.

Prenez quelques profondes respirations, fermez les yeux et relaxez-vous.

Imaginez une pièce (ou même une maison) qui représente ce que vous ressentez intérieurement (un peu comme ce que nous vivons parfois en rêve). Il peut s'agir d'un jardin, d'une pièce fermée ou de tout autre endroit où votre imagination vous guide. Laissez votre imagination vagabonder quelques minutes, puis revenez tranquillement à la réalité. Vous voilà prêt à visualiser ce que vous désirez.

Chapitre 5

Quelques suggestions de visualisation

Vous trouverez dans ce chapitre quelques exemples de visualisations que vous pourrez rapidement modifier selon vos préférences et vos souhaits. Il est impossible d'imaginer chacune des situations, mais ayez confiance que vous comprendrez rapidement de quelle façon procéder pour obtenir des résultats concrets. La règle d'or : gardez toujours en tête d'aller jusqu'au bout de votre volonté. Un psychologue sportif donnait l'exemple d'un athlète qui se voyait lancer la balle, mais qui ne la voyait pas atteindre son but. Visez le but. Imaginez l'action complète, là où vous voulez qu'elle vous entraîne !

LA PAIX DE L'ESPRIT

Votre jardin intérieur

Pourquoi ?

Le fait de visualiser votre jardin intérieur vous donnera l'occasion de créer un lieu de calme et de paix. Vous pourrez également y réfléchir à toutes les questions qui vous tiennent à cœur. En créant un tel lieu en début de pratique de visualisation, vous constaterez qu'avec le temps, il s'enrichira... de belles fleurs, d'arbres majestueux, de plans d'eau inspirants, d'animaux affectueux... Il pourra vous servir de porte d'entrée lorsque vous ferez d'autres genres de séances de visualisation. Il pourra marquer un temps d'arrêt au cours duquel vous vous retrouverez dans un lieu propice à la réflexion et au repos.

Dans ce jardin, certaines personnes font intervenir un guide spirituel. Si c'est votre cas, donnez à ce dernier la forme que vous voulez. Il pourra s'agir d'un ange, d'un être humain ou même d'un animal. Vous pouvez également créer un arbre aux problèmes (voir la visualisation à la page 77) ; il vous sera utile dans les cas où vous cherchez des solutions.

Comment ?

Installez-vous confortablement, prenez quelques respirations en toute conscience, ralentissez peu à peu votre rythme, fermez les yeux et imaginez que...

... vous êtes en pleine nature... Vous avancez sur un chemin, ce chemin est large... étroit, sinueux, montagneux ou plat... Vous longez le bord de l'eau, puis vous vous retrouvez dans la forêt... Vous arrivez dans un endroit très inspirant... il y a des espaces de lumière et d'autres d'ombre... Vous y trouvez la végétation qui vous plaît... fleurs et arbres en abondance... vous y voyez aussi des animaux. C'est votre paradis...

Prenez le temps d'imaginer un jardin à votre goût, il n'existe que pour vous...

Humez le parfum des fleurs ou des herbes aromatiques, touchez les arbres, sentez l'herbe sous vos pieds, installez-vous à l'ombre d'un arbre ou continuez de marcher dans votre jardin... Vous êtes en paix. Imaginez les changements souhaités... Vivez pleinement un moment de solitude tranquille.

Passez le temps voulu dans votre jardin. Puis, quittez-le pour vous éveiller ou pour continuer vers d'autres visualisations. La prochaine fois que vous aurez besoin de tranquillité et de paix, vous pourrez y retourner et le retrouver tel quel ou le modifier afin qu'il reflète encore mieux votre vision du paradis.

Les affirmations

Les affirmations ne sont pas nécessaires pour cette visualisation, puisqu'il ne s'agit pas de renforcer un comportement. Cela dit, pour vous retrouver rapidement dans votre jardin, répétez une phrase toute simple :

Je me trouve en paix dans mon jardin.

Je réfléchis tranquillement dans mon jardin.

Je dépose mes problèmes dans mon jardin.

Je trouve une solution (ou une réponse) dans mon jardin.

Un guide intérieur

Pourquoi ?

Le guide intérieur est un peu comme un ange gardien : il peut vous assister pour prendre une décision importante, pour surmonter une peine ou pour comprendre clairement un fait ou une situation. Vous pouvez imaginer un animal, un ange ou un être humain adulte ou même un enfant. En réalité, ce guide est votre création : il est ce qui en vous estz à la fois tendre, imaginatif, sage, intelligent et libéré des contraintes quotidiennes. Fréquenter un guide intérieur, c'est rencontrer un être qui saura vous faire discerner les solutions les plus créatives ou les plus sages, selon ce que vous recherchez.

Comment ?

Installez-vous de façon à être à l'aise, prenez le temps de faire quelques respirations abdominales, ralentissez votre rythme, centrez-vous, faites un peu de relaxation si vous en sentez le besoin, fermez les yeux et...

... imaginez-vous dans votre jardin intérieur. Regardez autour de vous... Prenez une direction qui vous inspire ; il peut s'agir d'un paysage aride, du bord d'un lac, d'un chemin de sous-bois...

Gardez en tête que vous avez toute la latitude désirée...

Avancez sur le chemin choisi... Après un moment qui peut être court, vous verrez apparaître un être... Il peut être assis à vous attendre ou venir à votre rencontre. Quand vous l'apercevez, soyez à l'affût de ce que vous ressentez. Vous sentez-vous en confiance ? Vous rend-il à l'aise ? Si vous êtes mal à l'aise, ne restez pas en compagnie de cet être, et dites-lui de partir. Continuez votre chemin, vous ferez une autre rencontre.

Si vous vous sentez bien... vous pouvez vous asseoir ou marcher en sa compagnie, et lui faire part de vos questions ou de vos difficultés. Aux questions, vous recevrez une réponse assez rapidement, mais elles peuvent vous être données de manière inusitée. Dans un premier temps, contentez-vous de demander une réponse. Vous pourrez la recevoir sur-le-champ ou d'ici quelques jours. Une fois votre entretien terminé, quittez votre guide après l'avoir remercié et reprenez la route de l'éveil. Prenez le temps de faire quelques longues respirations, éveillez-vous et retournez à vos activités quotidiennes.

Les affirmations

Je rencontre celui ou celle qui est en mesure de me guider.

Je vais vers mon guide quand j'en sens la nécessité.

Je suis en parfaite confiance.

Je parle librement.

L'arbre aux problèmes

Pourquoi ?

Si un problème vous assaille, vous pouvez visiter votre guide intérieur, qui vous donnera l'occasion de voir plus clair en vous-même. Vous pouvez aussi aller déposer vos soucis sur les branches d'un arbre qu'on appelle l'arbre aux problèmes. Cette méditation m'a été inspirée par un livre destiné aux enfants. Sur ses branches, vous pourrez déposer des papiers sur lesquels vous aurez pris soin d'écrire, en un mot ou deux, chacun de vos problèmes. Cet arbre, que vous choisirez grand et fort, pourra facilement supporter tous les problèmes du monde, tous les papiers du monde qui deviendront comme autant de feuilles. Les solutions à vos problèmes ne viendront peut-être pas tout de suite, mais elles vous seront généralement données dans un assez court laps de temps. Dans tous les cas, cet exercice est particulièrement utile lorsque vous ne trouvez pas la paix intérieure, car il allège le cœur et l'esprit.

Comment ?

Installez-vous confortablement, prenez le temps de vous détendre, ralentissez votre rythme, fermez les yeux et...

... *rendez-vous dans votre jardin intérieur... De là, trouvez un endroit où vous pourrez faire pousser un arbre qui saura, selon votre imagination, soutenir tous les problèmes du monde. Donnez-lui la forme désirée* (personnellement, j'imagine un grand chêne, mais tout arbre fera l'affaire)*, et accrochez à une branche un problème spécifique que vous aurez pris le temps d'écrire sur un papier. Un simple mot ou deux suffiront. Cet arbre est un peu vous-même, il n'a pas besoin de longue explication. Restez un moment près de l'arbre; imaginez-vous assis sous ses branches ou marchant autour de lui, puis repartez tranquillement.*

Revenez ensuite à la réalité ou continuez votre séance de visualisation. Vous devriez ressentir une légèreté d'être, un repos intérieur.

Les affirmations

Je sais que les solutions viennent à moi.

J'ai confiance au temps.

Je dépose mes problèmes dans mon arbre, les solutions viennent à moi.

Je fais confiance à la nature et au temps.

VIVRE AVEC SOI

Apaiser une colère

Pourquoi ?

La colère est une force qui s'exprime de manière violente. Sans être toujours inutile, elle est le signe qu'on est en pleine tempête intérieure, que des éléments de notre vie doivent être mieux compris, qu'il devient nécessaire d'établir un bon contact avec nos émotions. Plutôt que de calmer la colère en essayant de la cacher, il vaut mieux vivre pleinement cette force qui cherche à s'exprimer. Il ne vous viendrait pas à l'idée de reprocher à un artiste de peindre une toile dans laquelle une grande force s'exprimerait ; vous seriez, au contraire, ravi de percevoir et de ressentir cette puissance enfin exprimée. Faites la même chose avec vos colères.

Comment ?

La méthode suggérée ici consiste à s'inspirer des éléments de la nature, de se les approprier de manière à ne plus faire qu'un avec eux. Imaginez un torrent, un orage, de fortes vagues ou quelque autre élément naturel de votre choix. Puis, il s'agit d'essayer d'avancer dans l'orage.

Installez-vous de façon à être à l'aise, prenez le temps de vous détendre (pour autant que ce soit possible, si vous êtes en colère), fermez les yeux et...

... imaginez-vous, marchant dans la nature... De petites gouttes tombent... qui deviennent de plus en plus nombreuses... de plus en plus fortes... le ciel s'éclaire, le tonnerre se met de la partie... un vent fort s'en mêle... les éléments se déchaînent... le bruit des arbres est omniprésent... La nuit est noire et lumineuse par moments, le vent siffle et la pluie tombe dru. Vous luttez pour avancer... vous voilà luttant contre les éléments... Au bout d'un certain temps, vous ressentez de plus en plus de force... c'est un peu comme si vous deveniez cette tempête, comme si elle vous donnait peu à peu sa force... Le tonnerre, la pluie, le vent... ils ne vous font pas peur... Tout en étant ce vent, vous pensez à votre vie, à votre travail, à vos relations, à votre création... à ce que la force de cette tempête change dans votre vie...

Quand vous en avez assez, quand il vous semble que vous avez été à la fois assez submergé par des forces adverses tout en restant solide intérieurement et même en gagnant de la vigueur, imaginez que la tempête se calme peu à peu. Passez encore un peu de temps là-bas, puis revenez peu à peu à vous-même, éveillez-vous et reprenez vos activités.

Les affirmations

J'exprime ma force.

Je ressens pleinement la puissance des vagues, de l'orage, du tonnerre...

Je suis le vent.

J'ai la force du vent.

Ma force est en moi.

L'orage gronde, je gronde avec lui.

Développer ou retrouver la confiance en soi

Pourquoi ?

Ce type de visualisation est utile lorsque nous nous sentons vulnérables et faibles intérieurement. Il vous est certainement arrivé de ne pas vous sentir assez bien dans votre peau pour vivre sereinement et vous défendre quand cela est nécessaire. Dans ces moments-là, nous pourrions dire que notre moi est mal en point, il paraît fatigué de nous accompagner. Les gens autour ont à nos yeux plus d'importance que nous-mêmes et nous sommes tentés de les suivre sans considération pour nos propres choix. Ce sont des moments durant lesquels notre estime de soi semble s'être envolée. Comment la retrouver ? En prenant le temps de se détendre, bien entendu, mais également en effectuant une visualisation de renforcement positif. Il n'y a rien de tel que de se remettre en contact avec ses qualités pour retrouver son équilibre intérieur. Cet exercice mental vous fera certainement découvrir quelques nouveaux moyens d'agir.

Comment ?

Avant de commencer cette séance, il est utile de prendre quelques minutes pour retracer de bons souvenirs et des moments où vous avez vécu un succès, des moments où l'on a reconnu vos talents, vos capacités, votre imagination ou toute autre qualité qui vous serait utile pour l'occasion. Par exemple, si vous vous sentez peu sûr de vous au travail, s'il vous semble que vous prenez du retard, que vous vous intéressez de moins en moins à vos activités, retracez une période où vous avez vécu ce qui, aujourd'hui, vous serait nécessaire. Si vous ne retrouvez pas de telles situations dans vos souvenirs, pensez à quelqu'un qui possède les qualités recherchées (ou les succès) et, sans être cette personne, imaginez que vous adoptez son mode, sa manière d'être pour la situation qui vous intéresse. Faites un peu comme si vous alliez jouer le rôle d'une personne qui vous inspire fortement.

Après avoir pensé à deux ou trois situations plaisantes qui vous rapprochent d'un sentiment de confiance en vous, installez-vous de manière à être parfaitement à l'aise, prenez quelques minutes pour vous détendre (respirations profondes et relaxation), fermez les yeux et...

... retrouvez le lieu et l'époque où vous avez vécu et ressenti ce que vous désirez retrouver... prenez le temps de bien ressentir ce que vous avez vécu... Étiez-vous calme? énergique? joyeux? sérieux? Quels contacts aviez-vous avec votre entourage? Que s'est-il passé intérieurement pour

que vous vous sentiez à l'aise et en confiance, sûr de vous et rempli de talents ? Voyez quels sont les ingrédients nécessaires à un heureux état d'être. Percevez vos sensations physiques... vos sensations mentales... vos gestes... vos paroles... votre attitude intérieure et votre attitude extérieure... Remémorez-vous ce que vous avez dit ou fait... à la manière d'un enseignement... faites comme si vous deviez apprendre un rôle et bien comprendre la personne que vous devez interpréter.

Si vous optez pour une inspiration externe...

... imaginez que vous êtes dans la même pièce (ou le même lieu, il peut s'agir d'un jardin, par exemple) que la personne qui vous inspire. Entrez en contact avec elle, de façon imaginaire mais en fixant un décor plausible, en essayant d'être le plus réaliste possible dans ce travail imaginaire. Parlez-lui... posez-lui des questions... conversez avec elle en n'ayant pas crainte de lui poser autant de questions que vous le voulez sur l'attitude qu'elle a et que vous voudriez avoir pour améliorer votre confiance en vous-même. S'il vous semble impossible de lui parler, vous pouvez également observer cette personne sans rien dire... en examinant simplement sa manière de se mouvoir, sa silhouette, son regard...

Lorsque vous sentez que vous possédez quelques informations utiles et qu'il est temps de mettre fin à la séance, retirez-vous tranquillement (en remerciant la personne qui vous a renseigné si vous avez fait appel à quelqu'un). Prenez le temps de respirer profondément, ouvrez les yeux et retournez à vos activités.

Les affirmations

J'ai confiance en moi.

J'ai les qualités nécessaires pour accomplir...

Je suis tout à fait apte à prendre ces responsabilités.

J'excelle dans ce que j'entreprends.

Je réussis là où j'y travaille.

Libérer sa créativité

Pourquoi ?

Quoi de plus merveilleux que de donner libre cours à ses pensées, que de se libérer des solutions toutes faites, que de créer son propre chemin et de concevoir ses propres solutions ! Cette forme de visualisation vous donnera l'occasion d'imaginer ce que vous voulez et, ce faisant, elle vous indiquera ce qui vous tient à cœur, les questions persistantes, les problèmes à régler ou, plus simplement, les bonnes idées.

Comment ?

À l'aide des nuages, des rochers ou de divers autres éléments naturels, vous pourrez vous détendre et exercer votre imagination.

Pour cette visualisation, vous devez être dans la nature et choisir, selon la disponibilité et vos goûts, les éléments de cette nature que vous désirez observer. Personnellement, j'aime bien faire cet exercice en regardant les nuages et les rochers du bord de mer. Mais vous pouvez le faire facilement lors d'une marche en forêt. L'essentiel, c'est que vous puissiez y observer des éléments naturels, et non pas fabriqués par l'homme. Prenons l'exemple des nuages.

Assurez-vous de ne pas être dérangé. Quand vous avez le loisir d'observer le ciel et les nuages, étendez-vous sur le sol, levez les yeux au ciel et observez toutes les figures que font les nuages... Laissez votre imagination vagabonder, parlez aux divers personnages qui se présentent ou écoutez leurs paroles... Imaginez les animaux les plus étranges, écoutez leurs conseils ou laissez simplement votre imagination vous faire voir toutes sortes de formes amusantes... Parlez à vos créatures si vous en sentez le désir, ou contentez-vous de les observer.

L'exercice est particulièrement intéressant à faire un jour de vent soutenu et de ciel bleu mais nuageux. Vous verrez vos créatures se métamorphoser en un rien de temps. La détente est assurée et l'imagination peut s'exercer librement.

Passez tranquillement à d'autres activités quand il vous plaira. Cette forme de visualisation peut durer trente secondes ou des heures... selon votre humeur.

Les affirmations

Je laisse mon imagination me guider.

Les nuages me guident.

Les nuages m'inspirent.

Les nuages me racontent de belles histoires.

Je trouve des réponses en observant les nuages.

Face au changement : s'adapter

Pourquoi ?

Les changements sont fréquents, au travail comme ailleurs : un collègue laisse l'organisation, un autre obtient une promotion, un patron prend sa retraite, un déménagement ou un réaménagement s'impose, quelqu'un nous quitte, nous partons en voyage... Bref, notre sens de l'adaptation est souvent requis. Face à l'inévitable, plutôt que de ruer dans les brancards, exercez votre esprit à accueillir pleinement ce qui se présente.

Notre cerveau s'habitue à faire le même trajet (que celui-ci soit mental ou physique), vous avez certainement vécu cela : vous changez un meuble de place à la maison et durant quelques semaines (et même parfois quelques mois), vous avez le réflexe de l'imaginer là où il était situé auparavant. Le processus est le même pour toutes les situations que nous vivons. Faire quelques séances de visualisation lorsque nous vivons un changement, quel qu'il soit, de manière à retrouver notre équilibre, ne peut être que salutaire.

Comment ?

Il est difficile de bâtir un scénario précis, puisque chaque situation requiert une visualisation particulière. Face à un changement, qu'il vous soit imposé ou que vous l'ayez choisi, ce qui compte, c'est de concevoir la nouvelle situation, d'en trouver les aspects positifs, de vous percevoir le plus réalistement possible dans cette nouvelle situation.

Les affirmations

Je m'adapte aisément au changement.

Je m'habitue à une nouvelle routine, j'y prends plaisir.

Je vis le changement en m'intéressant à ce qu'il m'apporte de nouveau.

Je suis curieux.

Je prends plaisir à explorer.

Apprendre

Pourquoi ?

Si vous voulez apprendre une langue ou à jouer d'un instrument de musique, améliorer votre performance en ski ou en quelque autre matière, la pratique de la visualisation vous sera profitable. La visualisation est un excellent apport dans toutes les formes d'apprentissage. Pour quelles raisons ? D'abord parce que si on se visualise comme réussissant un apprentissage, on apprend à croire en soi-même. On se perçoit comme étant efficace, et on le devient. On se perçoit comme ayant du succès, et on en a. On se perçoit comme étant capable de gagner telle course ou de parler telle langue, et on acquiert un sentiment de confiance ainsi que la croyance que c'est possible.

Il s'agit ici de ne pas se percevoir comme un perdant, de ne pas se laisser contaminer par le trac, par les peurs, par le manque de confiance ou par l'hésitation.

De plus, ces types de visualisation fonctionnent bien parce qu'elles sont un entraînement à la concentration. C'est un processus d'auto-suggestion ; il s'agit de délaisser ses sentiments d'incompétence et de se préparer au succès, d'accueillir la réussite.

Les visualisations sportives sont un outil utile pour améliorer ses performances, tout comme elles peuvent vous permettre d'acquérir certaines des qualités qu'un sport exige. Par exemple, si vous vous visualisez en train de jouer au tennis, vous développerez la concentration, la rapidité et la précision dans vos gestes. Si vous vous visualisez jouant au golf, vous cultiverez la précision dans la souplesse et l'ampleur du geste. Vous viserez un but précis. Développer ces qualités vous sera bénéfique au quotidien.

Comment ?

Prenons l'exemple des performances en ski. Vous pouvez visualiser alors que vous êtes en action (imaginez la descente lorsque vous êtes en haut de la pente) ou au repos (dans le confort de votre chez-soi).

Si vous êtes à la maison, étendez-vous, prenez quelques respirations lentes, relaxez-vous, fermez les yeux et...

... imaginez-vous arrivant à la station de ski. Faites mentalement les gestes que vous accompliriez en réalité : prenez le temps d'observer les pentes, de vous informer sur les conditions, de vous chausser, etc. Puis, imaginez que vous attendez le remonte-pente, que vous observez les gens,

le paysage, que vous arrivez en haut de la pente... Choisissez une piste et commencez à la descendre... Vous êtes complètement décontracté... Vous ressentez le plaisir de votre corps... Vos virages se font au bon moment... Vous vivez cette descente comme un moment de pure magie... Ressentez les bienfaits de cet équilibre atteint... déliez chacune des parties de votre corps, votre bassin en particulier se trouve en situation de détente et de relaxation... Libérez-vous, tout est harmonie et souplesse... Vos réflexes sont bons, vous avez une bonne maîtrise de vos mouvements... Vous êtes en état de plaisir, de détente et de concentration tout à la fois...

Continuez aussi longtemps que vous le désirez, puis mettez fin à cette activité en prenant le temps de quitter les lieux... Ouvrez vos yeux et continuez vos activités.

Les affirmations

Je suis souple.

J'apprends facilement et avec plaisir.

Mon corps suit ma pensée..

LE CORPS

Percevoir les deux corps

Pourquoi ?

Pour se centrer, retrouver l'équilibre, unir son être intérieur à son être extérieur et améliorer sa concentration, rien de mieux que cette visualisation sur les deux corps. Imaginons deux corps : l'un physique, l'autre subtil ou spirituel. Le but de cet exercice est de les accorder parfaitement l'un à l'autre. Il consiste à effectuer un geste physiquement, à le reproduire mentalement, puis à le répéter physiquement et mentalement.

Comment ?

Pour cette session, il est utile d'être debout ou assis dans un fauteuil ayant un dossier assez bas. Débutez par un temps de respirations conscientes, détendez-vous et commencez...

• Dans un premier temps, les yeux ouverts, faites pivoter votre tête vers la droite, lentement et délicatement, de manière à aller poser votre regard sur le point le plus loin derrière vous. Après un temps d'arrêt, ramenez lentement votre tête vers l'avant.

• Dans un deuxième temps, fermez les yeux et refaites mentalement le mouvement que vous venez d'effectuer.

• Dans un troisième temps, ouvrez les yeux et faites le même exercice, mais physiquement cette fois. Normalement, vous devriez vous rendre plus loin que la première fois.

• Dans un quatrième temps, fermez les yeux et refaites le mouvement mentalement.

Répétez cette routine en tournant la tête vers la gauche... Puis, levez le bras droit vers le ciel, suivi du bras gauche; dirigez la jambe droite vers l'avant, puis la jambe gauche. Chaque fois, répétez l'opération: mouvement physique, mouvement mental, mouvement physique, mouvement mental.

Revenez ensuite à la relaxation, puis à l'éveil.

À retenir

Allez-y doucement et lentement, vous profiterez mieux des bienfaits de cet exercice.

Ressentir le corps idéal

Pourquoi ?

On utilise la visualisation sur le corps pour maigrir ou grossir, pour accéder à un état de détente, pour apprendre à être mieux dans sa peau.

Cette visualisation poursuit deux buts : *se voir* et *se sentir* dans l'état que l'on veut atteindre. Selon la situation désirée, posez-vous les questions suivantes. Comment serais-je physiquement si j'étais en état de détente ? Comment me sentirais-je si je grossissais ? si je maigrissais ? Comment me sentirais-je si j'étais en meilleure forme ? plus calme ?

Comment ?

Asseyez-vous dans un fauteuil confortable ou étendez-vous. Prenez conscience de votre respiration, détendez-vous complètement, fermez les yeux et...

... imaginez-vous dans un endroit paisible, par exemple sur une plage... Vous marchez dans le sable et vous êtes exactement dans l'état physique que vous aimez. Vous vous libérez des tensions... vous vous libérez de votre cuirasse... Votre corps n'est pas une prison, il est un havre de paix, une enveloppe plaisante... Ressentez physiquement

ce que vous voulez créer... Commencez par sentir vos jambes, elles sont de plus en plus libérées des contraintes... Avancez allégrement... marchez d'un bon pas, mais sans être trop pressé... sentez le sable sous vos pieds et entre vos orteils... Entendez le bruit des vagues... sentez que le soleil vous réchauffe juste ce qu'il faut... Tout en continuant à avancer, sentez comme votre ventre est souple, comme il se délie facilement... sentez la brise qui le caresse tout doucement. Remontez mentalement vers le haut du corps, vos seins, vos épaules, vos bras, tout votre corps se libère... Vous voilà parfaitement à l'aise dans votre peau... Vous croisez des gens et leur regard sur vous est approbateur... Tout en continuant à avancer, faites le tour de chaque partie de votre corps de manière à vous détendre complètement... Sentez que vous avez le poids qui vous convient, vous n'êtes privé d'aucun mouvement... Continuez autant de temps que vous voudrez... et, peu à peu, revenez à vous-même...

En répétant des visualisations sur le corps, les changements que vous souhaitez pourront se faire plus aisément.

Les affirmations

Je suis bien dans ma peau.

Je suis parfaitement détendu.

J'ai le poids qui me convient, je suis parfaitement à l'aise.

Je me libère peu à peu des tensions (ou de mon surplus de poids).

Je mange ce qui est bon pour ma santé.

Je ne me prive pas inutilement.

À retenir !

Comme dans toutes les visualisations, il est inutile de perdre le sens de la réalité. Nous avons tous un poids standard : certains sont très minces de nature, d'autres paraîtront toujours plus enrobés. Quand vous vous imaginez de telle ou telle manière, faites-le en respectant votre nature.

Si vous suivez un régime alimentaire, ayez un programme équilibré, rien qui ne vous prive trop. Certains adeptes de la visualisation prétendent qu'il serait préférable de ne faire que de la visualisation. Tout le monde connaît l'effet yo-yo des régimes et les surplus de poids qu'ils entraînent fréquemment.

Autre chose : avoir un surplus de poids ou une insuffisance de poids peut dénoter non seulement des problèmes de santé, mais également des problèmes émotifs. Il vaut mieux ne pas prendre ces questions à la légère. Si vous éprouvez des difficultés, consultez une nutritionniste ou une personne spécialisée dans la relation d'aide.

LES AVOIRS

Acquérir un objet

Pourquoi ?

Quand nous rêvons de faire l'acquisition d'une maison, d'une automobile, de gagner plus d'argent ou d'obtenir un emploi en particulier, nous rêvons d'un avoir. Il existe plusieurs manières d'acquérir ce que l'on veut : établissement d'un plan d'action précis, gestes faits dans le sens de notre objectif et... visualisations. Généralement, vous aurez avantage à faire en sorte que ces moyens se chevauchent. Par exemple, si vous souhaitez vous acheter une maison d'ici deux ans, il est bon de faire votre bilan financier, de continuer à mettre de l'argent de côté, de vous intéresser aux maisons en général (afin de mieux connaître les questions à poser, les éléments à vérifier), tout en faisant de la visualisation.

Autre aspect à retenir : à chaque étape du processus, vous pouvez vous servir de la visualisation pour renforcer un comportement. Si vous n'êtes pas plus économe qu'il ne le faut, peut-être est-ce une bonne chose de développer des visualisations à ce sujet. Ainsi, vous pouvez vous imaginer en train de déposer directement dans votre compte bancaire l'argent que vous gagnez... ou de vous voir en train d'observer votre compte de carte de crédit à zéro. La visualisation a un effet d'entraînement. Elle est un outil qui favorise le changement.

Comment ?

Ces visualisations se font en deux temps. Premièrement, il s'agit de voir clairement ce que vous souhaitez réaliser. Dans ce dessein, vous pourrez revoir vos objectifs et utilisez la visualisation libre. Deuxièmement, cherchez à ressentir la situation souhaitée comme si vous la viviez déjà, ce qui aura un effet d'entraînement sur la réalité et permettra également de voir si la situation est vraiment celle que vous comptez vivre.

Première visualisation

Prenons un exemple. Vous souhaitez faire l'achat d'un véhicule automobile. Vous hésitez entre une voiture d'occasion, que vous pourrez payer immédiatement, et une auto neuve, flamboyante, qui nécessitera des paiements échelonnés sur une période relativement longue. Vous hésitez également sur le modèle qui vous conviendrait et qui vous attire entre tous. Tenez compte des considérations pratiques comme le fait de voir ce qui existe sur le marché et les conditions les plus avantageuses pour vous.

Pour y voir un peu plus clair, installez-vous confortablement, respirez calmement et profondément, relaxez-vous et...

... laissez émerger les images en évoquant la route et les activités que vous faites en automobile... Laissez-vous simplement pénétrer des situations sans tenter de les modifier... Quelles images vous viennent à l'esprit? Imaginez un véhicule d'une couleur précise, d'une puissance ou d'une grandeur particulière. Laissez votre imagination vagabonder comme si elle était à la recherche d'une solution qui existe déjà, en songeant que vous allez découvrir l'automobile la plus utile selon votre personnalité et vos besoins.

Lorsque vous avez une idée de ce qui vous tente, vous pouvez arrêter la visualisation et la reprendre un autre jour. Peu à peu, en vous intéressant à la question de manière pratique – lecture d'hebdos, de petites annonces ou de livres sur le sujet ; conversations, réflexions, observations – et de manière sensitive par des séances de visualisation, vous en viendrez à avoir une idée claire de ce que vous voulez acheter.

Entre les deux formes de visualisation, considérez les implications de cet achat dans les autres secteurs de votre vie. Si la réalisation de votre souhait exige trop de votre part, d'autres secteurs s'en ressentiront. Une fois votre bilan fait, vous pouvez passer au second type de visualisation.

Deuxième visualisation

Une fois que votre projet est clair, visualisez-vous comme propriétaire du véhicule pour lequel vous avez opté. Ce faisant, vous vous préparez à accueillir la nouvelle situation, vous commencez à vous adapter...

Installez-vous de façon à être à l'aise, prenez le temps de faire quelques respirations abdominales, ralentissez votre rythme, centrez-vous, faites un peu de relaxation si vous en sentez le besoin, fermez les yeux et...

... imaginez-vous déjà propriétaire de l'automobile choisie. Elle est garée à votre porte... vous en possédez les clefs... Imaginez que vous montez dans la voiture, que vous la faites démarrer et que vous roulez longuement. Faites un long tour d'auto imaginaire... Observez le volant, ce que vous voyez, les fauteuils, le tableau de bord...

Si vous êtes déjà monté dans la voiture dont vous rêvez, votre rêve se rapprochera davantage de la réalité.

Imaginez qu'un proche vous accompagne, que vous écoutez de la musique... tout en restant attentif à la route... Visualisez-vous en train de faire vos activités habituelles dans cette nouvelle automobile... Continuez ainsi un certain temps, puis retournez à la maison, éteignez le moteur, agissez comme si vous étiez réellement dans l'auto... sortez et entrez chez vous...

Quittez tranquillement ce monde imaginaire pour revenir à la réalité.

Les affirmations

Me voilà propriétaire d'une... (nommez l'automobile)

Je roule dans l'automobile qui me plaît.

À retenir !

Procédez de la même façon pour tous les biens matériels.

Gardez présent à l'esprit que ces visualisations (celles qui sont reliées à l'avoir) donnent souvent des résultats rapides. Il importe tout de même de ne pas exagérer les demandes et de bien mesurer les conséquences d'une réussite. Avoir une automobile de l'année peut vous procurer beaucoup de plaisir et des regards admiratifs, mais les paiements seront en conséquence.

Autre point à retenir : ces visualisations peuvent servir à calmer l'angoisse, à contrer la peur, à se rassurer, et l'on est tenté de les faire et de les refaire sans cesse... Tâchez qu'elles ne deviennent pas une béquille à l'ennui quotidien.

Dernier point : si rien ne se produit, plutôt que de vous en faire, considérez que le temps de cette réalisation n'est pas venu.

Trouver l'habitation idéale

Pourquoi ?

Prenons un exemple. Vous n'êtes plus à l'aise là où vous habitez, c'est trop petit, trop grand, trop cher... à moins que vos voisins ne soient terriblement bruyants. Depuis quelque temps, vous vous levez chaque matin en vous disant : « J'en ai marre de vivre ici ! » Vous vous plaignez à vos amis, à votre conjoint, à vos proches, mais vous n'avez pas encore vu au plus important : l'endroit où vous voulez vivre. On se plaint plutôt que de chercher les solutions, c'est souvent pour cette raison qu'on tarde à régler les problèmes. Si nous nous sommes fait dire dans notre enfance : « Ne te plains pas », ce peut être pire encore car nous nous taisons. En réalité, il vaudrait mieux se dire : « Si je suis mal à l'aise dans telle ou telle situation, il y a peut-être de bonnes raisons... et, surtout, une solution ! »

Dans ces cas-là, posez-vous les questions suivantes et faites de la visualisation libre et dirigée pour vous faire une idée du genre de lieu où vous seriez heureux de vivre.

Pourquoi voulez-vous faire un changement ? Trop petit, trop cher...

Où souhaitez-vous habiter ? À la ville, à la campagne, en banlieue...

Quand pourrez-vous faire le changement? Dans six mois, dans un an...

Comment allez-vous procéder? Approche pratique et approche par visualisation.

Comment?

Installez-vous de façon à être à l'aise, prenez le temps de faire quelques respirations abdominales, ralentissez votre rythme, centrez-vous, fermez les yeux et...

... imaginez la maison idéale ou l'appartement idéal... le lieu qui vous tente vraiment... Dans un premier temps, laissez libre cours à votre imagination en ne vous préoccupant pas des aspects pratiques... Percevez l'environnement, vous en arriverez à voir si vous souhaitez vivre à la campagne, en ville, dans tel ou tel type de quartier... Promenez-vous autour du lieu dont vous rêvez, puis approchez-vous de la maison... Voyez la porte... Entrez doucement, imaginez l'entrée et les autres pièces communes, avancez tranquillement dans ce lieu et créez votre propre plan...

Quand vous ressentez une certaine fatigue, quittez le lieu où vous êtes... Revenez à votre espace, levez-vous tranquillement et continuez vos activités.

La visualisation, pour être efficace, demande de la répétition. Vous ne saurez pas tout ni du lieu, ni du type d'espace souhaité, ni des dépenses que vous pouvez vous permettre d'engager dans un cours laps de temps. En faisant cette visualisation régulièrement, vous en viendrez peu à peu à voir clairement le lieu où vous souhaitez vivre et le type d'espace qui vous plaira.

Les affirmations

Je me trouve dans la situation rêvée.

J'acquiers la maison de mes rêves.

Je vis dans le lieu que j'aime.

Je suis parfaitement à l'aise là où j'habite.

LE MONDE DU TRAVAIL

Le travail étant avant tout une obligation, il est facile de se « suradapter » à son environnement, d'oublier ses besoins, de perdre son autonomie et de développer des réflexes de peur ou de perdre carrément intérêt à ses activités. C'est un monde complexe et le fait de s'imaginer patron ou à la retraite pour contrer les difficultés ne résout rien à court terme. Ce qui importe lorsque nous nous posons des questions sur notre emploi, c'est de tenir compte de la réalité et, surtout, du fait que nous sommes très sensibles à l'image sociale que nous projetons. Si vous souhaitez être patron pour être bien vu, ce n'est pas une bonne idée. Un travail prend, généralement parlant, huit heures par jour, il est donc important qu'il satisfasse des besoins plus profonds que celui de notre image sociale.

Dans le type de visualisation que je vous propose, il est essentiel de répéter, de répéter et de répéter encore. Plus vous vous exercerez, plus vous vous sentirez à l'aise et meilleurs seront vos réflexes quand le temps viendra de faire face à la réalité.

Une entrevue d'embauche

Pourquoi ?

Être préparé pour une entrevue d'embauche, tout le monde vous dira que c'est essentiel. S'informer sur la compagnie pour laquelle on souhaite travailler, connaître ses points forts et être capable d'en faire part de manière structurée, se préparer aux questions inusitées, tout cela est primordial. Bref, il importe que vous soyez prêt à rencontrer des gens que vous ne connaissez pas et qui auront peu de temps pour juger de votre valeur. Côté visualisation, il s'agit de supplanter les idées négatives qui pourraient vous venir en tête sur vous-même pour les remplacer par des idées positives. Vous devez répéter l'entrevue d'embauche de la même manière que vous le feriez si vous deviez jouer comme acteur dans une pièce de théâtre.

Comment ?

Asseyez-vous dans un fauteuil confortable ou étendez-vous, prenez conscience de votre respiration, adoptez un mode lent et calme, détendez-vous complètement, fermez les yeux et...

... imaginez-vous entrant dans la pièce où aura lieu votre entrevue.

Si vous ne la connaissez pas, visualisez une salle de travail ou de conférence.

Prenez contact avec les personnes qui sont là... Passez en revue les questions les plus fréquentes et celles que vous-même avez en tête... Répondez aux questions, posez-en vous-même. Pensez aussi à votre état d'être...

Il s'agit d'être à l'aise et sûr de soi, tout en ne dépassant pas certaines limites de politesse.

Pensez à ce qui soutient votre intérêt dans le travail proposé, aux raisons qui font que vous vous sentez prêt à le faire, au défi proposé, et parlez (mentalement) de ces raisons. Quelles sont les qualités qui font de vous le candidat idéal? Imaginez l'entrevue le plus complètement possible... de la rencontre jusqu'à la poignée de main à la fin de l'entrevue... Allez plus loin et voyez ce qui surviendra par la suite... Imaginez que vous recevez une réponse positive ou voyez-vous déjà en poste... au travail.

Les affirmations

J'ai les compétences pour effectuer ce travail.

J'ai confiance en mes réussites futures.

Je serai un bon apport pour cette organisation.

Cet emploi me convient parfaitement.

Résoudre un conflit avec un collègue

Pourquoi ?

Lorsque l'on est appelé à travailler en équipe ou pour une organisation, les rapports peuvent être sympathiques avec certaines personnes, et moins avec d'autres ! Tôt ou tard, il y aura quelqu'un qui vous paraîtra peu plaisant ou qui ressentira de l'animosité à votre égard. Évidemment, travailler dans une ambiance de conflit larvé n'est agréable pour personne !

La visualisation peut vous aider à voir clair concernant un conflit et vous permettre d'améliorer votre attitude de façon que la mésentente ne prenne pas une place trop grande dans votre vie ou, mieux encore, qu'elle se résorbe. Il est possible, grâce à la visualisation, d'en venir à tellement bien comprendre ce qui se cache derrière une mésentente que la sympathie naisse.

Comment ?

La grande règle de compréhension d'un conflit consiste à adopter une approche aussi honnête et intègre que possible. Vous n'avez pas à dire à tout le monde ce que vous ressentez, mais dites-le à vous-même, cela facilitera votre compréhension des faits. Si vous ne tenez pas à vous rapprocher de cette personne, soyez franc avec vous-même. Cela dit, quand nous savons que nous devrons côtoyer quelqu'un malgré nous, la simple logique demande d'adopter un point de vue sympathique à cette personne. Pour y parvenir, faites appel à la visualisation.

Installez-vous de façon à être à l'aise, ralentissez votre rythme, centrez-vous, détendez-vous, fermez les yeux et...

... imaginez-vous rencontrant cette personne là où cela se produit habituellement... Plutôt que de ressentir ce que vous ressentez d'habitude (par exemple de l'agressivité ou de l'insécurité), *efforcez-vous d'être calme et à l'aise intérieurement. Voyez la personne telle qu'elle est avec ses qualités et ses défauts, ses forces et ses faiblesses... Faites de même avec vous... Entrez en contact avec elle et parlez-lui... posez-lui des questions... faites-lui part de ce que vous ressentez en sa présence...*

Si vous sentez une animosité insurmontable, plutôt que de renchérir, prenez la décision d'être aussi loin que possible de cette personne tout en ne lui nuisant pas. Agissez mentalement avec elle de la même manière que vous voudriez qu'elle agisse envers vous.

Après cette rencontre imaginaire, remerciez-la de sa présence et quittez-la en prenant le temps de vous concentrer sur ce que vous ressentirez dorénavant en sa présence : prenez la décision d'être à l'aise et bien dans votre peau.

Les affirmations

J'ai confiance en moi et je respecte les gens.

J'ai confiance que les conflits se règlent.

Je suis à l'aise en compagnie de...

Je suis bien dans ma peau.

Je m'affirme sans pour autant heurter les autres.

S'engager au travail

Pourquoi ?

Il arrive fréquemment que nous soyons insatisfaits de notre emploi à cause d'un manque d'engagement ou d'une organisation déficiente. On se dira, par exemple : « Ce travail n'est pas à ma hauteur. Il ne me permet pas d'exploiter mes talents. Rien ne me convient ici », alors qu'on pourrait à la place occuper le même emploi, mieux s'organiser de façon convenable, faire de simples changements, créer des liens nouveaux, et en tirer de multiples satisfactions.

La visualisation à propos de votre engagement réel et concret au travail ne manquera pas de vous être utile. Mais avant, posez-vous les questions suivantes : « Qu'arriverait-il si je m'engageais pleinement dans mon travail ? Quels seraient les résultats de certains changements à court, à moyen et à long termes ? » Puis, faites quelques séances de visualisation durant lesquelles vous passerez en revue vos journées.

Comment ?

Installez-vous de façon à être à l'aise, prenez le temps de vous relaxer, fermez les yeux et...

... retrouvez-vous dans votre lieu de travail... Imaginez une journée entière du début à la fin... Pensez à vos activités... aux gens avec lesquels vous êtes en contact... au temps que chaque dossier requiert... Passez en revue votre mode d'organisation... Voyez ce qui cloche, ce qui requiert trop d'énergie, ce à quoi vous accordez peu d'attention... Améliorez mentalement vos relations avec vos collègues, vos patrons, vos clients... Prenez le temps de vous intéresser aux gens qui vous entourent... Imaginez tous les détails possibles... Observez ce qui vous ennuie vraiment. Y a-t-il moyen de faire des changements? Passez en revue vos apprentissages des derniers mois... Continuez-vous à apprendre? Imaginez ce que vous pouvez améliorer... Pensez à votre qualité de vie... Le midi: prenez-vous le temps de vous changer les idées? Mangez-vous en compagnie de collègues? Sortez-vous faire un tour? Votre lieu est-il organisé de manière que la vie soit agréable?

Lorsque vous sentez une certaine lassitude, quittez les lieux et retrouvez-vous dans votre espace personnel... Puis, reprenez vos activités. Vous constaterez que vous aurez de bonnes idées.

Les affirmations

J'organise efficacement mes journées de travail.

J'organise agréablement mes journées de travail.

Je m'intéresse à ce que je fais.

Je me concentre sur mes activités.

Je m'intéresse à mes collègues, aux clients...

LES RELATIONS SENTIMENTALES

Pourquoi ?

Tout le monde cherche l'amour... et certains le trouvent! Je vous propose ici deux types de visualisation : un premier exercice qui vous donnera l'occasion de réfléchir à la personne que vous voudriez rencontrer et un second qui vous permettra de vous imaginer vous rapprochant d'une personne que vous connaissez déjà, mais avec qui vous n'avez pas établi de lien intime jusqu'à maintenant[2].

Vers une rencontre

Si vous êtes célibataire et que vous souhaitez faire une rencontre sentimentale, cet exercice vous permettra d'imaginer un partenaire éventuel. Chacun d'entre nous a des idées sur la personne avec laquelle il pourrait être heureux et bâtir une relation durable. Même si, par exemple, vous n'avez pas défini le profil physique absolu, il est probable que vous ayez déjà une impres-

---

[2] Ces visualisations m'ont été inspirées par Richard Khaitzine, dans *Guide initiatique de la visualisation*, p. 111.

sion psychologique ou spirituelle de la personne avec laquelle vous pourriez bien vous entendre.

Ce type de visualisation comporte deux parties. La première devrait durer entre une et trois semaines et être effectuée une ou deux fois par jour. La seconde suivra et pourra se développer avec le temps.

Première visualisation

Dans un premier temps, vous aurez à définir aussi précisément que possible le profil d'un être que vous ne connaissez pas encore, alors laissez libre cours à votre imagination.

Installez-vous de façon à être à l'aise, prenez quelques bonnes respirations, ralentissez votre rythme, centrez-vous, faites un peu de relaxation, fermez les yeux et...

... commencez par imaginer (sans trop de détail les premières fois) les caractéristiques physiques de celui ou de celle que vous désirez rencontrer. Quelle est sa taille? sa silhouette? Comment sont ses cheveux (coiffure, couleur, longueur)? Voyez la forme de son visage, la couleur de ses yeux... son type de regard... son nez, sa bouche... Visualisez ses mains...

Passez ensuite tranquillement au type de caractère que vous recherchez. S'agit-il d'une per-

sonne calme? douce? paisible? dynamique? d'un être extraverti ou plutôt discret? de quelqu'un de volubile ou de silencieux? Attardez-vous aux caractéristiques psychologiques qui vous viennent en tête et avec lesquelles vous vous sentez bien... Quelles sont les préoccupations de cette personne? ses intérêts culturels? ses intérêts spirituels? Imaginez aussi sa voix, ses mouvements... sans oublier quelques défauts, bien sûr... Bref, faites le tour de sa personnalité et modifiez-en les contours jusqu'à ce que votre idée vous semble juste et réaliste.

Maintenant, passez au genre d'histoire que vous voudriez vivre avec cette personne. Voulez-vous une grande passion? une amitié amoureuse? une histoire à long terme ou une histoire courte?

Lorsque vous sentez la fatigue vous envahir ou votre intérêt baisser, revenez tranquillement à votre réalité et reprenez vos activités habituelles.

Cette pratique devrait durer au moins deux semaines à raison d'une ou deux fois par jour. Si vous préférez le faire moins souvent, allongez la période allouée. Dans tous les cas, allez à votre rythme, et cessez si vous ne vous sentez pas à l'aise avec cet exercice.

Deuxième visualisation

Maintenant que vous avez en tête une personne que vous seriez heureux de rencontrer, il
est temps d'imaginer le lieu ou la manière dont
cela pourrait se faire, de créer le décor idéal pour
une rencontre. Il s'agit cette fois de pratiquer les
gestes, les mouvements, d'imaginer la façon de
faire une telle rencontre. Si l'on part du point de
vue que tout est d'abord dans la tête, il est
certes utile d'imaginer différents scénarios.
Pour cet exercice, que vous développerez à votre
manière, il importe de garder en mémoire le
genre de relation que vous souhaitez vivre.

Comme chacun choisit son type de lieu, je
m'abstiendrai de vous en proposer un. Ayez
tout de même soin de créer un scénario com-
plet, de la rencontre à la conversation, jusqu'à
l'au revoir. Prenez bien soin d'être dans la
scène, de parler, d'être en contact avec l'autre.

Les affirmations

Je rencontre celui ou celle qui me convient.

Je vis un grand bonheur.

Je m'émerveille de ce que je vis.

Créer des liens

Pourquoi ?

Cette fois, vous avez rencontré quelqu'un, cette personne vous attire, vous désirez la connaître mieux, mais le lien n'est pas encore établi. Ici, il faut être averti : pour qu'une rencontre soit une réussite, qu'il s'agisse d'un amour ou d'une amitié, il faut être deux. Vous aurez beau faire toutes les séances de visualisation possibles, si l'autre n'est pas disponible, rien d'intéressant ne se produira. Il faut donc procéder à petits pas et, surtout, accompagner les séances de visualisation d'actions concrètes de manière à voir si la réalité s'accorde avec votre souhait.

Comment ?

Installez-vous de façon à être à l'aise, prenez le temps de ralentir votre rythme, centrez-vous, fermez les yeux et...

... imaginez que vous rencontrez l'être choisi... Retrouvez-vous dans un lieu où vous êtes habitué à le voir... Allez vers lui... Entrez en contact, parlez-lui et faites-le parler... Conversez de tout et de rien ou d'un sujet que vous voudriez aborder... Observez votre comportement, le sien... Observez ses traits, rapprochez-vous. Quand vous sentez

que ce premier contact vous a nourri, dites au revoir.

Revenez maintenant à votre réalité de tous les jours.

Ce type de visualisation se modifiera grandement au fur et à mesure que vous ferez connaissance de la personne dont vous rêvez. Si vous sentez un malaise quand vous faites sa rencontre, posez-vous des questions. Surtout, ne vous acharnez pas à vouloir établir un lien avec quelqu'un qui n'est pas disponible... ni intéressé. Cela dit, voyez aussi vos propres résistances... Et retenez que les premiers temps, il vaudra mieux faire de courtes séances de visualisation.

Vous connaissez maintenant les rudiments d'une visualisation efficace. Allez au plus simple : précisez vos objectifs, exercez-vous régulièrement, soyez persévérant sans être obstiné et les changements souhaités prendront place dans votre vie. Bonnes visualisations et, surtout, nombreuses et utiles réalisations !

Annexe 1

Les croyances limitatives

1. Prenez une feuille et un crayon, et écrivez trois croyances qui vous limitent.

    1. _____

    2. _____

    3. _____

    Ces croyances occupent une place indue dans votre esprit. Elles vous privent de votre pouvoir de réussite et de la confiance en vous-même. Ces croyances peuvent même devenir réalité à force d'être ressassées.

2. Comment vous sentez-vous lorsque vous vous répétez ces croyances négatives sur vous-même? (Prenez le temps de ressentir tout ça.)

3. Comment vous sentez-vous lorsque vous reprenez votre pouvoir, lorsque vous inversez les croyances limitatives pour faire place à des croyances positives? Par exemple:

   «Je ne suis pas efficace quand il est question de gérer mon argent.»

   deviendrait:

   «Je gère mon argent de la meilleure façon possible.»

4. Énumérez trois croyances qui vous renforcent.

   1. _____

   2. _____

   3. _____

5. Comment vous sentez-vous lorsque vous vous les répétez?

6. Quel est le changement le plus significatif que vous pourriez faire pour modifier durablement votre perception de vous-même?

Sept questions pour comprendre votre nature

1. Les gens peuvent interpréter mes émotions par :

   a) mon expression faciale.

   b) ma voix.

   c) ma façon de me tenir.

2. Je me tiens au courant de l'actualité en :

   a) lisant les journaux.

   b) regardant les nouvelles à la télé ou en les écoutant à la radio.

c) lisant un peu, regardant un peu, écoutant un peu.

3. Quand j'espère communiquer avec une personne, je souhaite :

   a) la rencontrer ou lui écrire.

   b) lui parler au téléphone.

   c) la rencontrer lors d'une activité commune ou faire quelque chose avec elle.

4. Quand je me fâche, je :

   a) me tais pour un bon moment et je disparais.

   b) le dis tout de go.

   c) m'explique clairement et passe à autre chose.

5. Quand je travaille, je :

   a) regarde souvent ce qui se passe autour de moi et dans mon environnement.

   b) suis centré sur mes pensées ou sur un air de musique.

   c) bouge beaucoup et me promène.

6. Je me considère comme une personne :

    a) précise et ordonnée.

    b) sensible.

    c) physique.

7. La meilleure façon de reconnaître le talent de quelqu'un, c'est de :

    a) le montrer, le faire savoir aux autres, lui remettre un prix.

    b) le féliciter par un discours.

    c) lui démontrer mon appréciation par un geste de rapprochement.

Résultats

• Vous avez obtenu un maximum de *a*: vous êtes du type visuel. Vous devriez, avec le temps, voir très précisément ce que vous désirez.

• Vous avez obtenu un maximum de *b*: vous êtes du type auditif. Soyez attentif à intégrer les effets sonores dans vos visualisations, entendez clairement ce qu'on vous dit et parlez abondamment.

- Vous avez obtenu un maximum de c: vous appréhendez la réalité dans son ensemble et vous êtes conscient que le toucher est important. N'hésitez pas à vous servir de tous vos sens lorsque vous visualisez.

Quelques affirmations positives

Chaque jour, des idées me viennent.

Chaque jour, je m'améliore.

J'accepte tous mes sentiments comme faisant partie de moi-même.

J'ai confiance en mes capacités.

J'ai des relations affectueuses et solides.

J'ai du plaisir.

J'ai du succès.

J'ai une attitude positive envers moi-même.

J'aime mon corps.

J'atteins mes objectifs.

Je crée ma propre réalité.

Je crée ma vie à mon goût.

Je crois en mes habiletés.

Je crois en moi.

Je m'accepte totalement, ici et maintenant.

Je m'aime et j'attire naturellement les relations pleines d'amour.

Je m'améliore dans tel ou tel domaine.

Je m'exprime clairement et simplement.

Je m'exprime de façon dynamique.

Je rencontre exactement le type de relation que je désire.

Je ressens le bonheur d'être en vie.

Je sais me détendre.

Je savoure chaque instant.

Je suis capable.

Je suis détendu et confiant.

Je suis en accord avec l'Univers.

Je suis fort.

Je suis heureux d'être en vie.

Je suis libre de toute peur.

Je suis pleinement efficace.

Je suis prospère et heureux.

Je suis souple et compréhensif.

Je suis un gagnant.

Ma vie est pleine de richesses.

Ma vie s'épanouit.

Mes relations avec les autres sont heureuses.

Plus je crois en moi, plus je suis apte à utiliser mes talents.

Plus je m'aime, plus j'aime.

Tout vient à moi facilement.

Bibliographie

Livres

DAY, Jennifer. *Visualisation créatrice pour les enfants*, Genève, Éditions Vivez Soleil, 1996, 191 p.

FERNANDEZ, Luis. *La visualisation : la clef de la préparation mentale*, Montréal, Institut de sophrologie du sport, Université de Montréal, 1989, 21 p.

GAWAIN, Shakti. *Techniques de visualisation créatrice*, Genève, Éditions Vivez Soleil, 1991, 184 p.

KHAITZINE, Richard. *Guide initiatique de la visualisation*, Paris, Éditions Montorgueil, 1992, 153 p.

PHILIPPE, Noelle. *Changer par la visualisation*, Paris, Retz, 1988, 163 p.

PORTER, Kay et Judy FOSTER. *The Mental Athlete: Inner Training for Peak Performance*, New York, Ballantine Books, 1992.

SAMUELS, Mike et Nancy SAMUELS. *Seeing With the Mind's Eye: The History, Techniques and Uses of Visualization*, New York, Random House, 1975, 331 p.

SHONE, Ronald. *La visualisation créative*, Montréal, Québec/Amérique, 1986, 189 p.

VERDILHAC, Monique de. *S'ouvrir à soi-même: l'épanouissement par la visualisation*, Les Tattes, Éditions des Trois Fontaines, 1991, 95 p.

Site Internet

chez.com/alinepasqui/relaxation.htm

Table des matières